現代語の法華経 1

庭野日敬

現代語の法華経 1

本書は、小社刊『現代語の法華経』（函入・七〇四頁）を三分割し、判型や文字の大きさなど装いを新たにしたものです。

はしがき

西洋を中心にして発展してきた科学的な合理主義による文明に行き詰まりが生じ、人類の将来に新しい道を切り拓《ひら》くものとして、東洋的な思想、特に仏教のものの考え方や、行動の仕方に期待が寄せられてきているということを、十六年前の本書の初版の「はしがき」に書きました。この期待は現在においてて、ますます大きなものになっていることを、わたくしはさまざまな国際会議や、外国の識者の方々との触れ合いの中から実感しております。

つまり、科学的な合理主義によるものごとの考え方や行動の仕方は、確かに人間の生活を物質的な面においては便利にしてきました。しかし、一方において人間以外の生物・無生物を〈人間のために存在するもの〉と見て、人間が楽に生き、豊かに暮らすためには、それらのものを犠牲にして憚《はばか》らないような考えや、行動に陥《おちい》ってしまったのです。そして、大量生産・大量消費の経済構造を作り上げ、見かけの豊かさと繁栄とをもたらしたのでした。そのような人間の手前勝手な生き方は、物資やエネルギー資源の浪費となり、それらの資源の絶対的不足や、環境破壊によるさまざまな公害病を生み、地球の浄化作用を超える廃棄物によって大地も空気も汚染され、地球の温暖化や、有害な紫外線から地球上の生物を守っているオゾン層の破壊となって、人類を滅亡の寸前へ追いやろうとしているのです。

それに対して、仏教の世界観は、〈人間を含むあらゆる生物も、無生物も、すべて久遠本仏《くおんほんぶつ》に生かされており、等しく仏性をもっているのである。したがって、その存在価値においてすべてが平等である〉と見ているのです。この世界観から、〈すべての存在を尊び、慈しみ、共存共栄するところに、人間の幸せも生まれる〉という精神が導き出されるのです。こうした生き方でなければ、人類は、前記のようなことによって、遠からず自滅してしまうことになりましょう。さればこそ、わたくしどもは、仏教の精神を一日も早く世界中の人びとに知ってもらうために、世界宗教者平和会議などを通して、懸命の努力を続けている次第であります。

ところが、仏教の教主釈迦牟尼世尊がご一代にお説きになった教えは、俗に〈八万四千の法門〉と言われるぐらい数多いもので、教えの解説である「論」も入れて編集された『大正新脩大蔵経』では三千四百九十三部、一万三千五百二十巻にも上り、一般の人びとがその全部を読むことは不可能と言っていいでしょう。それならば、どの経典を読み、どれを心の依りどころにすればいいのか……ということになりますが、もしただ一つを選ぶということになれば、やはり古来〈諸経の王〉と言われている法華経を推さざるをえません。

なぜ法華経が最もすぐれたお経なのか……その理由はいろいろありましょうが、一口に言うならば、あらゆるお経の大切なところ、すなわち釈尊の教えの精髄がこのお経の中にこめられているからです。われわれの住んでいる宇宙の本当の相《すがた》はどうであるか、人間とはどんな存在であるか、だから人間はどう生きねばならないか、人間と人間、人間と自然との関係はどうあらねばならないか……について余すことなく教えられているからです。

より大きな視野をもち、より広い世界に関心を寄せる人ほど、素晴らしい人であります。目先の利害や一身の得失のみを考えるのではなく、社会や人類みんなの幸福に心を向ける人こそ、本当の人間らしい人間である……ここまでは常識です。たいていの人は、この常識の線にとどまっていて、もう一つ上に〈見えざる世界〉があるのを忘れています。久遠本仏の世界があるのを失念しています。法華経は、こうした〈見えざる世界〉にまでわれわれを誘《いざな》い、すべては久遠本仏に生かされており、等しく仏性をもつものであることを悟らしめ、そして真の救いを、人類はもとより生きとし生けるものにもたらす教えであります。そこにこそ法華経の神髄があるとわたくしは信じているものであります。

このような尊い経典も、鳩摩羅什《くまらじゅう》による中国語訳はもちろん漢文で、専門家以外の人には音読することさえまず不可能ですし、また現在の日本に流布している訓読も、〝和訳〟ではなく〝読み下し〟であるため、そのままでは内容を理解することは非常にむずかしいのであります。そこで、聖徳太子以来の法華経国である日本において、その精神を現実に生かさねばならぬこの重大な時期に、われわれ日本人がまずもってこの法華経の内容を正しく理解し、国内はもとより広く海外までその精神を伝えていただきたく、不肖をも顧みず先達諸師の解説等を参考として、本書を上梓《じようし》したのが昭和四十九年でありました。

さきにも述べましたが、世界の識者の日本の仏教に対する期待は十六年前よりさらに大きなものとなっております。〈世界の平和と真の繁栄のためには、この法華経の精神をおいてほかにない〉との信念をより確かなものとしてくれた世界宗教者平和会議も、本年で二十周年を迎えました。このような時期にあたり、より実践的で分かりやすくするために、再度本書を読み返し、多少の筆を入れ、版を改めることとしました。それは、この法華経の精神を一人でも多くの人につかんでいただき、身近な実践を通して日本を理想の寂光土とし、ひいては世界の寂光土建設に、本書を役立てていただきたいという願いからにほかなりません。

平成二年八月

庭　野　日　敬

目次

はしがき……三
読み方の手引……九

無量義経

〈徳行品第一〉……四三
仏の徳と行に帰依したてまつる
〈説法品第二〉……六〇
一法から生ずる無量の義
〈十功徳品第三〉……七八
無量義を知って得る十の功徳

妙法蓮華経

〈序品第一〉……一〇五
序章
〈方便品第二〉……一三五
真実は一つ、手段は無数
〈譬諭品第三〉……一七九
火の家からの救出
〈信解品第四〉……二三一
迷い出た子はどこへ帰る

読み方の手引

この本は、現在最も広く用いられている平楽寺《へいらくじ》書店版《しょてんばん》《訓訳妙法蓮華経《くんやくみょうほうれんげきょう》 并《ならびに》 開結《かいけつ》》を底《てい》本《ほん》として、法華《ほっけ》三部経《さんぶきょう》を現代の人びとに理解していただくために、思いきった取意《しゅい》訳《やく》を試《こころ》みたものであります。

しかし、法華経はたんに宗教的な価値において最高であるばかりでなく、文学的にも非常にすぐれたものであることは、古来、万人に認められているところですので、取意訳とはいえ、原文（厳密に言えば漢訳の読み下しですが）の味わいを十分残すように配慮いたしました。したがって、二千年前のインドの人びとのものの考え方や、特殊な表現のしかたなど、二十世紀の日本人にとっては不可思議に思われるようなことがらが、この本の中にもまだまだたくさんあることと思います。とりわけ、妙法蓮華経は一つのドラマのように構成されており、譬諭や象徴という手法が随所に用いられていますので、解説なしでは真意のつかみにくいところが多々あります。

たんなる文学作品ならば、その人その人が自由な味わい方をすればいいのでしょうが、法華経はあくまでも宗教の経典ですから、説かれている意味が分からなければ何にもなりません。それゆえ、各品《ほん》（章）をどう読めばよいか、どこに注意しなければならないか……などについて、あらかじめ簡単に手引きしておきたいと思います。もし、教えの内容をもっと分明に、もっと詳細に知りたいと考えられる方は、拙著《新釈法華三部経》（佼成出版社発行）をお読みくださるようお願いいいたします。

無量義経

徳行品第一

この品《ほん》は、大荘厳菩薩《だいしょうごんぼさつ》が、仏さまの完全円満な〈徳〉と衆生済度《しゅじょうさいど》の〈行《ぎょう》〉を賛嘆申し上げる章ですが、注目すべき大切な点が二つあります。第一は、「仏さまの現身《げんしん》は確かにそこに見えていても、その本体は目に見えぬ法身《ほっしん》であって、ありとあらゆるものの中に等しく存在し、天地の万物を生かしている、ただ一つの真実の存在であられます」という意味のことを言っていることです。この不可思議な言葉が真実であることを一般の人びとに納得させるために説かれたのが《妙法蓮華経《みょうほうれんげきょう》》であると言ってもいいのであって、《無量義経《むりょうぎきょう》》が《妙法蓮華経》の開経《かいきょう》（いとぐちになる経典）と言われるゆえんもここにあるのです。

第二は、仏さまのおからだや、お顔の美しさを賛嘆申し上げてから「このような、最高の存在となられたのも、元をただせば、衆生の一人として無数の善業《ぜんごう》を積まれた因縁《いんねん》によるものであります」と申し上げていることです。つまり、「仏も元は普通の人間であった」ということ、裏を返せば、「すべて人間には仏となる素質が必ず具《そな》わっているのだ」ということが、ここに明らかにされているのです。この真実も、後の《妙法蓮華経》において分かりやすく説かれるわけです。

説法品第二

この章で最も大切なのは、〈実相《じっそう》〉ということです。普通〈実相〉と言えば、たんに〈本当の相《すがた》〉というくらいの意味に解されていますが、諸法実相《しょほうじっそう》などという場合の実相とは〈この世のあらゆる現象、あらゆる存在の真実の相《すがた》、すなわち、すべてのものごとのありのままの相《すがた》を明らかにする、ただ一つの法〉を言うのです。その〈実相〉について、ここに説いてありますが、それは仏教全体をつらぬく根本の思想でもありますから、難解ではあっても、繰り返し繰り返し読み、かつ思索をめぐらしていただきたいものです。

十功徳品第三

この品《ほん》には、このお経に説かれた教えを理解し、実践すれば、どんな精神的功徳《くどく》があるか、どんな善い行いができるか、どんなに世のため人のために役立つことができるか……が説かれてあります。十の功徳の中で第一の功徳が最も大切ですから、特にしっかりと読んでいただきたいと思います。

妙法蓮華経

序品第一

この品《ほん》は、不可思議な、象徴的な光景に終始しています。その中で特に大切なことがらについて説明しておきましょう。

第一に、異教《いきょう》であるバラモン教徒の信ずる神々や、人間以外の鬼神や動物たちまでが説法の席につらなっていること……これは仏さまの教えがたんに人間ばかりでなく、生きとし生けるあらゆるものに通ずる真理であることを象徴しているのです。

第二に、仏さまの額《ひたい》の渦毛《うずげ》から出た光によって、この宇宙のあらゆる世界がはっきり照らし出され、しかも過去世《かこせ》の人間たちの様子まで手に取るように見えたということ……これは「仏の智慧は、時間・空間を超えて、あらゆるものごとの実相を明らかにするものである」ということの象徴にほかなりません。

方便品第二

この品《ほん》は、第十六番の《如来寿量品《にょらいじゅりょうほん》》と共に、昔から法華経の大きな中心をなすものとされてきました。その中でも最大の要点は「相《そう》・性《しょう》・体《たい》・力《りき》・作《さ》・因《いん》・縁《ねん》・果《か》・報《ほう》・本末究竟《ほんまつくきょう》等《とう》」という〈十如是《じゅうにょぜ》〉の法門です。つまり「すべての存在や現象は、形《かたち》や性質やそれぞれそのものの実体、その実体がもっている力や作用に、さまざまな原因（因）と条件（縁）がはたらいてこそ生ずるもので、けっして固定的・恒常的なものではなく、原因（因）と条件（縁）の違いによって、違った結果（果）と影響（報）が現れるものである。そうして、それらの変化は一定の法則にもとづいて起こり、現象の上では千差万別に見えても、実相においては初めと終わりが一貫して等しいものである」という真理です。

この真理からさまざまな大切な教えが導き出されますが、なかんずく最も重要な教えは、「われわれ人間の性格・才能等もろもろの属性《ぞくせい》（本来もっている性質）は、けっして固定的・恒常的なものではなく、善い方へも悪い方へも変えることのできるものである」ということです。これこそが人間にとって最大の救いであり、希望であります。そして仏教は、この真実にもとづいて、すべての人間を〈仏《ほとけ》〉という理想のあり方へ近づけようとするものなのであります。

もう一つこの品の大事な教えは、〈方便《ほうべん》すなわち真実〉ということです。方便とは「正しい手段」という意味ですが、人間ともすれば、深遠な哲理とか根本の真理とかを学びますと、つい日常の一々の行動や現実の手段などを軽く見るようになりがちです。いわゆる大乗《だいじよう》仏教《ぶつきよう》を学ぶ人にもそのような傾向があり、その人・その場の現実に即した救いをもたらす〈方便の教え〉を軽んずるようになりやすいのです。そこでお釈迦さまは、「方便の教えもすべて仏法の根本真理に根底を置いているのだから、それはそのまま最高の悟りへの道程である。そして、一言『南無仏』と称えるような小さな行為も、仏となる道にまっすぐつながっているのだ」ということを、この品で強調しておられるのです。これを学問・技術そのほか世間一般のものごとにおし広めて言えば「真実は一つだが、それに到達する手段には多くの種類と段階がある。その一つひとつを軽んずるようなことでは、けっして最高の境地へ到達はできない」ということを教えられているわけです。

譬諭品第三

法華経も、この品《ほん》からたいへんやさしくなります。これまで深遠な哲理を理論的に説いておられたのを一変して、譬《たと》えなどを盛んに用いた、一般大衆にも分かりやすい説き方へ転換されるからです。この品の〈三車火宅《さんしやかたく》の譬《たと》え〉もその一つであって、それにこめられた意味は、方便品で説かれたことを裏返して、「目前に見える境地の達成をめざして（羊車《ようしや》・鹿車《ろくしや》・

牛車《ごしゃ》を求めて）、自《みずか》らの意志によって努力すれば（走り出せば）、その努力はもっともっと奥の最高の境地（大白牛車《だいびゃくごしゃ》）にまでちゃんとつながっているのだ」ということを教えられているのです。

なお、この品の中に、仏教の全経典の中でもすぐれて尊いものと言われる有名な偈《げ》（詩）がありいます。その中心となるのが、「この三界は、わたしのものだ。その中の衆生は、みんなわたしの子だ」という一句です。この「わたしのものだ」というのは、もちろん所有権の主張ではありません。かえってその逆であって、自分（我《が》）というものをまったく捨てきった心境なのです。本当に我を捨てきってしまえば、宇宙全体のすべてのものに生かされている自分を発見することができます。そういう自分をしみじみと見つめていますと、自分がみるみる宇宙全体に広がっていくのです。それが〈宇宙はわがもの〉の実感です。そうなると、心はまことに自由自在、何ものにもとらわれず、思うようにふるまっても、それがすべて真理（妙法）にかない、自分をも、すべての人をも真に生かす行為になってしまうのです。禅宗で〈随所に主となる〉というのは、この境地なのです。

〈宇宙はわがもの〉の実感を得れば、宇宙の万物は、すべて自分と同じ存在になります。したがって、それらを幸せにするために親身《しんみ》に尽くさざるをえなくなります。そうした自他一体感が愛情の極致であり、仏教で教える慈悲とは、そうした愛情を言うのです。しかもそれは、たんに人間や動物だけを対象とするのでなく、〈草木国土悉皆成仏《そうもくこくどしつかいじょうぶつ》〉という言葉のとおり、植物も、無生物も、ありとあらゆる存在がそれぞれの存在価値を十分に発揮する（それがそのものの本当の幸せであり、成仏である）ことを願う心であります。自然破壊《しぜんはかい》と自然汚染《しぜんおせん》が人類の危機を招来しつつある今日、仏教で言う大慈悲がようやく本当に理解され、実践さるべき時代がやってきたものと思います。

なお、この品の後のほうに、正法《しょうぼう》をそしる者が受けるであろう罰がいろいろと述べられていますが、これらは仏によって罰せられるのではないことを、よく知っておく必要があります。仏は人を罰するような、すなわち人間と相対的な関係にある存在ではありません。万物を生かしている大生命であります。人を地獄に堕《お》としたり、また、悩みや苦しみを与えたりするようなことをされるはずがないのです。

それでは、何がそんな罰を与えるのか。言うまでもなく自分自身です。真理に反する考えを持ったり、真理にそむく行いをしたりすれば、自ら真理のレールから離れるわけですから、転覆《てんぷく》・衝突その他の不幸が起こってくるのは理の当然でしょう。仏教で教える〈業《ごう》〉というのは、この原理なのです。後の品にも似たような説法がしばしば出てきますので、この原理をよく記憶しておいていただきたいものです。

信解品第四

この品《ほん》の中心となるのは、摩訶迦葉《まかかしよう》が自分の精神的体験を分かりやすく説いた〈長者窮子《ちようじやぐうじ》の譬《たと》え〉です。宇宙の大生命とも言うべき久遠《くおん》の本仏《ほんぶつ》は、いつもわれわれの側にいて見守っていてくださるのに、なかなかそれに気がつきません。そして、現象の上の自分（肉体人間である自分）の汚さや小ささばかりが目の前にちらついているために、卑屈になったり、自暴自棄《ぼうじき》になったり、その日暮らしの刹那《せつな》主義《しゆぎ》になったりします。そんなことでは人間は永久に苦しみから脱却できないのであって、心機一転して「自分は久遠本仏の実の子なのだ」という自覚を得た時、初めて真の救いを味わうことができるのです。この譬えは、そのめざめの尊さを教えているのです。

薬草諭品第五

この品《ほん》の中心となるのは、〈三草二木《さんそうにもく》の譬《たと》え〉です。この譬えは、「草木にはさまざまな種類があるけれども、天の雨の恵みを受ける点においては平等である。一面から見れば、同じ雨を受けても、それぞれの性質に応じて違った生長のしかたをし、違った花を開き、違った実を結ぶので、差別《さべつ》があるように見えるけれども、それぞれ自分のもちまえを十分に発揮するという点においては、まったく平等なのである」ということが説かれています。これは、表面的には〈仏法の救いの、形の上に現れた差別相と、根本における平等相《びょうどうそう》〉を説かれたものですけれども、現代のわれわれはこの譬えから〈人間における根本の平等相と、現象の上の差別相と、その両方をよく認識するのが正しい智慧である〉という教訓を読み取らねばなりますまい。そしてそこから、「この世は、千差万別の人間が集まって、各人がそれぞれのもちまえを十分に発揮し、それらのはたらきが大きく調和してこそ、住んでおもしろい、そして生々発展する社会になるのだ。ゆえに、形の上の差別相によって人を軽蔑《けいべつ》したり羨《うらや》んだりせず、あるいは自ら高ぶったり卑屈《ひくつ》になったりせず、自他のもちまえを真に生かすことを考えるべきである」という指針を確立しなければならないのであります。

授記品第六

授記《じゅき》というのは、「そなたは必ず仏の悟りを得るであろう」という保証を、仏さまがお弟子たちに与えられることを言います。この品《ほん》では四人の高弟だけですけれども、後になるとおおぜいの弟子たちが授記され、ついには暗示的ながら一切衆生《いっさいしゅじょう》が授記されるのです。しかし、それにはいつも「これこれの修行をしたのち……」という条件がついています。それゆえ法華経は、〈一切衆生を仏の境地へ導く努力と実践の教え〉ということができるのです。

なお、前にもあり、後にもたびたび出てきますが、仏の世界の美しさ尊さがいろいろと述べられています。たいへん現実離れがしているようですけれども、これも大切なことなのです。なぜならば、理想世界を創るには、まずそれを思い浮かべ、あこがれを持たなければ心情的な青写真ができないからです。仏《ぶつ》・菩薩《ぼさつ》を賞めたたえるのも、やはり同様の心理によるものです。

化城諭品第七

この品《ほん》には、仏弟子たちの現世《げんぜ》における修行を励まし、未来世《みらいせ》における成仏を確信させるために、過去世《かこせ》から仏さまと深い因縁《いんねん》でつながれていることをお説きになるのですが、それはつまり、真理が永久不変なこと、人間の本質である仏性《ぶっしょう》が不生不滅《ふしょうふめつ》のものであること、したがって、すべての衆生が、いつかは仏の境地に達することができるものであることを教えられているのです。そのためには、仏の教えによって人生の苦しさにくずおれることのない大安心《だいあんじん》を得る（大きな城の中に入る）ことが、まず第一の条件であり、さらにそこから進んで、〈自分をも、他人をも、世の中全体をも幸せにするものごと〉を絶えず創造していく（城から出て新しい出発をする）ことが第二の条件であることが、この品の中心たる〈化城宝《けじょうほう》処《しょ》の譬《たと》え〉に示されています。いわゆる声聞《しょうもん》の境地から菩薩《ぼさつ》の道へと進まなければ、この世はよくならないという、大切な教えであります。

五百弟子受記品第八

たくさんの弟子たちが授記される章ですが、この品《ほん》の中心をなすのは、憍陳如《きようじんによ》が説いた〈衣裏繫珠《えりけいじゆ》の譬《たと》え〉です。この譬えにこめられた意味は、「われわれ人間の本質は、久遠本仏《くおんほんぶつ》と一体の、自由自在ないのち（仏性《ぶつしよう》）なのだが、その尊い真実（着物の裏に素晴らしい宝石を持っていること）を知らないために、苦の人生をさまよい続けているのだ。だから、救われるのは何もむずかしいことではない。自分の本質が仏性であること、つまり、初めから救われていることを自覚しさえすればいいのだ」という教えであります。

授学無学人記品第九

学人《がくにん》というのは、まだ学ぶべきことの残っている人。無学人《むがくにん》というのは、もはや学ぶべきことは学び尽くした人。まだ仏道を学び尽くさない人にも授記されるということは、つまり、すべての人に仏の境地に達する可能性があるということにほかなりません。

法師品第十

法師《ほつし》というのは出家の僧侶《そうりよ》だけではありません。人のために仏法を説く人はすべて法師です。この品《ほん》は、そういう法師の修行のしかたと布教の心がまえについて教えられた章です。

修行の方法としては、受持《じゅじ》・読《どく》・誦《じゅ》・解説《げせつ》・書写《しょしゃ》の〈五種法師《ごしゅほっし》〉があげられていますが、この書写というのは、昔の、印刷術がなかったころのことで、現在では「教えが世に広まるように、あらゆる伝達手段を用いて努力すること」と解すべきでしょう。

また、布教の心がまえについての教えを要約すれば、「人に法華経を説く時は、大きな慈悲心に発し、徹底した〈空《くう》〉の悟りを根底とし、柔和《にゅうわ》な態度で、しかも世評などに動かされないしんの強い心をもって説かねばならない」ということになり、これがこの章の核心《かくしん》であります。

見宝塔品第十一

この品《ほん》は夢幻劇《むげんげき》のような光景に終始しています。

まず第一に、大地から美しい宝塔《ほうとう》が涌《わ》き出したことについて、お釈迦さまは「この宝塔の中には如来《にょらい》の全身がいらっしゃる」と説かれます。

世の中に真理の教えはたくさんありますが、それらはすべて、真理の部分部分を説いたものです。ところが、人間の本質は仏性《ぶっしょう》であると説く法華経は、すべての真理を統合したぎりの教えであると言っていいでしょう。それゆえ、法華経が説かれる所には多宝如来《たほうにょらい》が出現されて、その真実を証明し、説く人を賛嘆されるわけです。

また、宝塔の中に多宝如来と釈迦牟尼如来《しゃかむににょらい》が並んでお坐りになったこと、これは「真理そのものの尊さと、真理を説く人の尊さは、まったく同格である」ということの象徴です。真理は、それを悟って大衆のために説く人があってこそ生きてくるのだ……ということを教えられているのです。

提婆達多品第十二

この品《ほん》は、二つの部分に分かれています。

前半は、釈尊教団の和合を破《やぶ》り、お釈迦さまのお命までも奪おうとした提婆達多《だいばだった》を、前世《ぜんせ》の物語にことよせて「わたしが仏となれたのも提婆達多のおかげである」とお説きになり、かれにも授記されるくだりであります。ここには、「我《が》を捨てた澄みきった心になっておれば、身にふりかかる災害さえも悟りの素因《そいん》になる」という教訓と、「いかなる大悪人にも仏性《ぶっしょう》はあるのだから、その仏性を自覚し、磨《みが》き上げていけば、必ず人格を完成することができるのだ」という教訓がこめられています。

後半には、「畜身《ちくしん》の幼女（竜女《りゅうにょ》）でも、素直な心で仏の教えを信受すれば、仏の境地にも達することができる」と説かれています。幼子《おさなご》のような心で仏さまの教えを信ずれば、その瞬間から、われわれは久遠本仏《くおんほんぶつ》と融《と》け合い、一体になることができます。〈信〉こそは三千《さんぜん》大千世界《だいせんせかい》に匹敵するほどの値うちがあるのです。

なお、この女人成仏《にょにんじょうぶつ》ということですが、ほかの国々とだいたい同じように、昔のインドでは、女子は、男子より仏の大慈大悲にあずかり難い存在とされていました。その女子でも、人間最高の状態である仏になれるというのですから、まことに画期的《かっきてき》な宣言であって、世界歴史の上で男女平等が明らかに唱えられた第一声であると言うことができましょう。

勧持品第十三

この品《ほん》の中心は、もろもろの菩薩《ぼさつ》が「どのような迫害や困難をも耐《た》え忍《しの》んで、この教えを守り、説き広めます」と誓う、章末の偈《げ》にあると言っていいでしょう。特に「わたくしどもは命など惜しいとは思いません。ただこの無上の教えに触れない人が一人でもいることが、何より惜しいのでございます」という一言は、深く思惟《しい》し、記憶すべきでありましょう。法華経行者の〈不惜身命《ふしゃくしんみょう》〉という合言葉は、ここから出たのです。

今日では、法華経を説き広めるからといって危害を加えるような者はいなくなりました。それゆえ、最大の法敵《ほうてき》は世人の〈宗教に対する無関心〉及び〈無知〉ということになりましょう。その〈無関心〉と〈無知〉にうち勝つためには、「自分自身の時間や労力などを惜しいと思わない」というのが、現代の法華経行者の〈不惜身命〉でありましょう。

安楽行品第十四

法を説き広めるための具体的な心がまえをこまごまと教えられ、結論として、「法華経の教えを心から信じ、身に行えば、いかなる困難をも超越《ちょうえつ》した安らかな心境に達することができ、心身一如《しんしんいちにょ》ということによって、その安らかさは身体の上にも、生活の上にも現れてくるものだ」ということを保証される章です。この中で注意しなければならないのは、「こんな人びとになれ親しんではならぬ」という戒《いまし》めがいろいろありますが、それらは当時のインド独特の社会通念《しゃかいつうねん》に即したものであり、お釈迦さまが人間に対して差別思想を持っておられたように誤解してはならない……ということです。

従地涌出品第十五

この品《ほん》も不思議な物語です。まず、他の世界からやってきた菩薩《ぼさつ》たちが、娑婆世界《しゃばせかい》にとどまってこの教えを説き広めたい意志を表白しましたところ、お釈迦さまは「この地球上は、そこに住む人間自身の手で美しくし、幸せにしなければならない」ことを暗示《あんじ》されて、それをお断りになりました。そのとたん、大地がメリメリと割れて、そこから無数の菩薩が涌《わ》き出してきました。

この菩薩たちは娑婆世界の下の虚空《こくう》に住していたのですが、お釈迦さまのみ心にお応《こた》えして、大地から涌き出してきたのです。娑婆世界の下の虚空に住していた菩薩というのは、人間世界の人でありながら、人間世界の現実の泥にまみれない人をさすのです。ところが、お釈迦さまの要請に応じて、その悟りを人間救済のために発動することになりますと、一度現実社会の生活に飛び込み、汚れと濁りの中にあえぐ大衆の苦しみを体験しなければ、手も足も出るものではありません。大地を潜《くぐ》り抜けるというのは、そういう意味なのです。

また、お釈迦さまは「これらの菩薩たちは、わたしが娑婆世界で悟りを開いてから教化《きょうけ》したものであるが、真実のところを言えば、はるかな昔から、わたしが教化してきたのです」と、たいへん矛盾《むじゅん》したようなことをおおせられ、弥勒《みろく》菩薩をはじめとするお弟子たちの頭はこんがらがってしまいます。そういう混乱を起こさせたのは、おそらく、お釈迦さまの方便《ほうべん》による伏線であって、次の如来寿量品第十六で、その疑問を一刀両断に解決することによって、深い感銘を刻みつけようとなさったものと推察されます。すなわち、人びとはこれまで現象的な存在である肉体人間だけを見てきたのですが、その奥底には不生不滅《ふしょうふめつ》のいのち（仏《ぶっ》性《しょう》）があることを、次の章ではっきり自覚できるように説かれるわけです。

如来寿量品第十六

法華経の二つの柱の第一である方便品では、〈空《くう》〉の教えから展開される諸法実相《しょほうじっそう》・十如《じゅうにょ》是《ぜ》の法門をお説きになりましたが、そのような冷厳な哲学的理論をすぐ自分の人生に結びつけうるのはよほどすぐれた人であって、一般大衆にとってはむずかしい注文です。そこで、お釈迦さまは、その教えを人間に即して〈人間の本質は仏性《ぶっしょう》である〉という方向へ、次第次第に説きすすめてこられました。そして、ついにこの寿量品においてすべての真実を説き明かされるのです。

すなわち、仏の本体は永遠不滅の久遠実成《くおんじつじょう》の本仏《ほんぶつ》であり、人間は——人間以外の万物も——その本仏の実子であることを明らかにされるのです。表面では「仏は滅せず」と説かれていますが、真の眼目は「仏の実子である人間の仏性も不滅である」ことを悟らせようとの、み心であることは明らかです。

そこで、冷厳な〈空〉の悟りに、人間的な温かい血が通いはじめ、人びとは「自分は久遠の本仏のいのちに生かされているのだ」という有難い思いに包まれるのです。これが宗教的な悦び、すなわち法悦《ほうえつ》の極致であり、そういう悟りに達しえた時、本当に救われたということができるのであります。

分別功徳品第十七

信仰にはいろいろな段階があり、行法がありますけれども、前の寿量品で説かれた〈仏の本体は、宇宙の万物《ばんぶつ》を生かしている久遠実成《くおんじつじょう》の本仏《ほんぶつ》であり、われわれといつも一緒にいてくださる不生不滅《ふしょうふめつ》のいのちである〉という真実にめざめ、心に大歓喜を覚えることがその極致であり、その真実を心の底に置いて日々を生きることこそ、最高の人生であることを、この品《ほん》では象徴的に説いてあるわけです。

随喜功徳品第十八

前の品《ほん》で説かれた功徳《くどく》のうち、仏の無量寿《むりょうじゅ》を知り、自分はその仏のいのちに生かされているのだということを悟って「有難い」という大歓喜を起こし、その感激を他の人にも話し伝えることの功徳を特に抜き出し、詳しく説かれた章です。ここで見落としてならないのは、法縁《ほうえん》の大切さです。救いに達するには、何よりもまず、「教えに触れること」が第一の条件でありますから、他人にそのような縁を与えることがどんなに尊い行為であるか、また、そういった行為の展開が、どんなに社会を明るく、住みよくするかを、この品からよくよく学び取らねばなりません。

法師功徳品第十九

法華経の教えを信じ、深く学び、人にも説く人が目《め》・耳《みみ》・鼻《はな》・舌《した》・身《からだ》・意《こころ》に受けるであろう功徳《くどく》を説いてあるのですが、現代人にとっては不思議に思われることばかりでしょう。しかし、われわれは、その不可思議なことが意味していることを、よくくみ取らねばならないのです。

仏の教えによって心境が変わりますと、われわれの人生は必ず変わります。人間の心も、肉体も、その環境も、みんな〈空《くう》〉であり、〈縁起《えんぎ》〉なのですから、心が変われば肉体も変わり、その環境も変わってくるのは理の当然です。ですから、心の功徳だけを肯定し、肉体的・物質的功徳を否定するのは、かえって理屈に合わない、非科学的な態度と言わなければなりません。ただし、初めからそうした現世利益《げんぜりやく》を目的として信仰するのは不純であり、一時は熱中しても長続きはしません。信仰はあくまでも心の改造を目的とし、その結果として現れてくる肉体的・物質的な功徳は、素直に有難く受け取る……そういう態度であるべきでしょう。

常不軽菩薩品第二十

人間の不幸の大本は、「肉体のみが自分である」と思い込んでいる錯覚によるところの〈貪欲《とんよく》〉です。この錯覚による〈貪欲〉がある限り、本能的な、いわゆる生存競争のみに走り、世の中には奪い合い、蹴落《け》とし合いなどの争いが充満し、したがって不安・悩み・苦しみの絶えることはありません。ですから、人間を根底から救い、人類社会を本当に平和にするには、どうしてもこの根本的な錯覚によるところの〈貪欲〉をうち破り、すべての人を「人間の本質は宇宙の大生命とも言うべき久遠本仏《くおんほんぶつ》と同体の光り輝くいのち（仏性《ぶっしょう》）である」という真実にめざめさせなければならないのです。

この品《ほん》に、常不軽菩薩《じょうふきょうぼさつ》が「人を拝《おが》む」というただ一つの行を、一生懸命になし続けたために、ついに仏となることができた……とあるのは、そのことを説いてあるのです。常不軽菩薩は、すべての人に具わる仏性を確信し、その仏性を拝み出して、実生活の上にも出現させたのです。これは、人間不信の時代と言われる今日、特に大切なことだと思います。また、常不軽菩薩の粘《ねば》りと根気、非暴力によって暴力に勝った強さなど、現実の問題として学ぶべきことの多い品であります。

如来神力品第二十一

この品《ほん》は、釈迦牟尼仏《しゃかむにぶつ》をはじめとする諸仏が不思議な現象を現されて、「これまでの説法でいろいろな説き方をしてきたが、真理は常に一つである」ことを聴聞《ちょうもん》の大衆に強く印象づけられ、さらに進んで、未来において必ず「世界は一つ、人類は一つ」になることを宣《の》べられた、素晴らしい章です。原文のままではほとんど意味が分かりかねると思いましたので、思いきり言葉を補《おぎな》って訳しました。

嘱累品第二十二

この品《ほん》は、お釈迦さまがすべての菩薩に、「この尊い悟りを後世に伝えるという一大事を託したい。どうか一心にこの法を説き広めて、広くあらゆる衆生の利益《りやく》を増進して欲しい」と、お頼みになる品です。この章で、法華経の説法には大きな一段落がつきます。すなわち、仏の本体と、その大慈悲を説く部分、いわば《理想（虚空《こくう》）の場》がここで完結し、舞台は、その真理をどう現実化するかということと、法華経信仰の功徳を例示した、いわば《現実（霊鷲山《りょうじゅせん》）の場》とも言うべき部分に移るわけです。

薬王菩薩本事品第二十三

これまでの説法で、真実の教えはよく分かりました。いよいよこれからその実践に移らなければならないわけですが、深遠きわまる真理である仏の教えを日常の行為にどう移せばいいのか、凡夫《ぼんぷ》にはなかなか見当がつきません。その問題を解決するには、完全円満な〈仏〉の境地の一歩手前にあって、ある一つの美徳、ある一つの尊い行為を代表する〈菩薩〉を見習うのが、まずもって順当な道と言わなければなりません。それで、この二十三番以降の説法には、主としてそれが述べられているのです。衆生に、より身近な手本を示すことによって、発奮をうながされるわけです。

さて、この品《ほん》に登場する薬王菩薩《やくおうぼさつ》は、人間の病気を治すことを誓願とした菩薩ですが、ここではその前世の身の物語（本事《ほんじ》）により、〈献身的な行為によって仏法のために尽くす〉という徳の典型としてあげられています。その前世の身である一切衆生憙見菩薩《いっさいしゅじょうきけんぼさつ》は、自分の身に火をつけて燃やし、その光によって世界中を明るく照らしました。次の世に生まれ変わってもまた、自分の両腕に火をつけて燃やし、その光明に照らされた多くの人びとが尊い発心《ほっしん》をしました。両腕を失った菩薩が「そのかわり、わたしは不滅の身を得ることができた」と言いますと、腕は元どおりになった……というのです。

この物語で教えられている要旨は次の二点だと思います。㈠人間にとって自己犠牲《じこぎせい》ほど高貴な精神はない。㈡実践こそが教えに対する最高の供養《くよう》である。

妙音菩薩品第二十四

この品《ほん》に出てくる浄光荘厳国《じょうこうしょうごんこく》というのは、〈理想の世界〉です。理想とは心の中に創り出される像ですから、その国土は普《あまね》く光り輝き、そこの仏《ぶつ》・菩薩《ぼさつ》は非常に巨大な、しかも、この世のものならぬ美しい身をもっておられます。それにくらべると、現実の世界（娑婆《しゃば》）は国土も汚く、そこの仏・菩薩も、たいへん小さく見えます。ところが、理想世界の如来《にょらい》のお諭《さと》しのとおり、妙音菩薩《みょうおんぼさつ》は娑婆世界のお釈迦さまを心から崇《あが》め、拝みました。ということはつまり、理想世界を地上に建設しようと努力なさるお釈迦さまは、理想そのものより尊いお方であるということを現しています。これがこの品の第一の要点です。

次に、過去世《かこせ》の妙音菩薩が長いあいだ音楽を奏し、八万四千の宝の器《うつわ》をささげて仏さまを供養したとありますが、音楽を奏したというのは真理（妙法）の言葉を人びとの胸にひびかせたということの象徴であり、八万四千の宝の器をささげたというのは、仏さまの無数の教えを世の大衆に伝えたということの象徴です。つまり、そんな行為こそが仏さまに対する最大の供養だというわけで、これが第二の要点です。

それが分かれば、妙音菩薩がいろいろな身となり、所々方々に出現して法を説かれるということの意味も、おのずから明らかになってくるでしょう。われわれの周囲にも無数の妙音菩薩がおり、われわれ自身も、もし真実と慈悲の言葉をもって人のために法を説くならば、やはり妙音菩薩の化身だということになるのです。これが第三の要点です。

観世音菩薩普門品第二十五

古来、《観音経《かんのんぎょう》》という独立したお経のように考える人も多かったほど、広く信仰され、崇《あが》められた品《ほん》です。それだけに誤解も多く、観世音菩薩《かんぜおんぼさつ》を「災難に遭《あ》ったとき拝みさえすれば、すぐ助けてくださるお方」と考えるのが一般でしたが、努力と実践の教えである法華経がそんな安易な救われ方を説くはずはありません。観世音菩薩は、実は中諦《ちゅうたい》の真智《しんち》という〈真実の智慧〉の象徴であり、また、大悲代受苦《だいひだいじゅく》といって〈多くの人びとに代わってその苦しみを引き受けてあげようという大慈悲心《だいじひしん》〉の象徴でもあるのです。

われわれが本当に救われるには、本仏を知り、その大慈悲心を思い、その教えのレールに乗って行動するほかはありません。また、われわれが本当に他を救うには、慈悲心にもとづく自己犠牲《じこぎせい》的な行動によって、その人を仏の道へ導くほかはないのです。この品に、観世音菩薩を念ずることによって七難から逃れることが詳しく説かれていますが、それらはすべてこのことを教えられているのです。そうは言っても、昔の人は、そんな抽象的なことをピタッととらえることができませんでしたので、観世音（世間の音を観る＝世のすべての動きを知り、人びとの欲するところをも見通す）菩薩というすぐれた洞察力を持ち、三十三身というさまざまな姿となって至る所に出現され、あらゆる苦しみを救ってくださるお方を設定して、そのお方に心を通わせれば、必ず救われると説かれたわけです。つまり、観世音菩薩を通じて、その人の心が本仏に感応《かんのう》して救われるわけです。

ですから、現代のわれわれは、観世音菩薩という、聡明で、慈悲深く、素晴らしい実践力を持ったお方を心に思い浮かべ、「あのようになりたい」というあこがれを持たねばならないのです。そのあこがれが強烈であれば、どんな苦しみがやってきてもそれを乗り越えることができます。また、そういう願いを深く持っておるならば、人の苦しみを見れば救いの手をさし伸べずにはいられなくなります。このことが、この品の教えの最大の要点なのです。

陀羅尼品第二十六

陀羅尼《だらに》（梵語《ぼんご》のダーラニー）というのは、総持《そうじ》真言《しんごん》と訳され、「あらゆる悪をとどめ、あらゆる善をすすめる力を持つ秘密の言葉」という意味です。神秘《しんぴ》の言葉だけに、今でも梵語そのままに唱えられますが、ここには、いちおうの訳を載せました。ほとんどが往時インドの土俗信仰の神々の名（もしくはその異称）の列挙であり、その〝神々〟への呼びかけであると言いますから、つまりは〈言葉の力によって神々への感応《かんのう》を求める〉ということになりましょう。仏教の本義とは少し離れていますが、しかし、陀羅尼の霊験《れいげん》は著者自身も数多く経験していますので、救いのための一手段としては意味の深いものだと思います。

妙荘厳王本事品第二十七

人を仏法に導くには、それを説いてあげるのもむろん大切ですが、身をもって実証するのが有力な決め手となります。特に家族や職場の人を導くには、これを欠いてはどうにもなりません。この品《ほん》で二王子が演じた奇跡《きせき》というのはそれにほかならないのであって、仏法を学び、信ずることによって人格が一変し、日常の行いがすっかり変わったことを意味しているのです。

もう二点だけ、重大なことがこの品には教えられています。一つは、王であり父である人が、その地位にこだわることなく、また既成観念《きせいかんねん》にかかずらわることなく、真理（と思われる教え）に耳を傾けたことです。このような柔軟《じゆうなん》な心の持ち主こそ、真理（真実の教え）をつかむことのできる人です。もう一点は、王の信仰が、群臣《ぐんしん》・眷属《けんぞく》および国民まで感化したということです。信仰はもともと個人の自由で、政治とか権力《けんりよく》とかが介入《かいにゆう》すると不純なものになりますが、大衆に尊敬されている指導者が正法《しようぼう》の信仰に入ったために、多くの人たちが自然に感化されていくことは、きわめて正しく、そして望ましい影響だと信じます。

普賢菩薩勧発品第二十八

普賢菩薩《ふげんぼさつ》は理《り》・定《じよう》・行《ぎよう》をつかさどる菩薩とされていますが、白象に乗って出現することが象徴するように（象は大地をしっかりと踏みしめて歩く）、他の二徳よりも〈徹底《てってい》した行《ぎよう》〉の典型であると見るべきでしょう。法華経の初めのほうでは、菩薩の主役は〈智《ち》〉の文殊菩薩《もんじゆぼさつ》でした。中ほどにおいては〈慈《じ》〉の弥勒菩薩《みろくぼさつ》でした。そして最後の結びに〈行《ぎょう》〉の普賢菩薩が登場するのは、言うまでもなく、法華経の教えを聞いて諸法実相《しょほうじっそう》の智慧を知り、久遠実成《くおんじつじょう》の本仏《ほんぶつ》の大慈悲に生かされている真実にめざめたものも、その教えを実践しなければ意味がないからであります。

この品《ほん》の初めのほうに、非常に大切なお釈迦さまのお言葉があります。すなわち、普賢菩薩の問《とい》に対して、

「次の四つのことがらを成就すれば、如来《にょらい》の滅後においても、この法華経の真義をつかんだことになり、法華経の真の功徳《くどく》を得ることができましょう。それは、

第一に、自分は諸仏に護念《ごねん》されているのだという堅い信念を持つこと。

第二に、日常生活に善行《ぜんこう》を積んで、徳を育てるように努力すること。

第三に、正しい教えを奉ずる人びとの仲間に入ること。

第四に、世の人みんなと共に救われるのが真の救いであることを知り、自ら多くの人びとを救う心を持つこと……であります」

これは、これまで詳細《しょうさい》・綿密《めんみつ》に説いてこられた深遠な教えを、一般の人にもすぐ理解・実践できるよう簡潔《かんけつ》にまとめられたものであって、《妙法蓮華経》の結びにふさわしい教えであります。

仏説観普賢菩薩行法経

このお経は、一名〈懺悔経《さんげきょう》〉と呼ばれるほど、懺悔という心のはたらきと、その修行について、キメ細かに説かれてあります。心の浄化を何よりも重視する宗教の世界は、懺悔なしには成立しないと言いうるのですが、宗教的懺悔には次の三つの段階が考えられます。

㈠ 同信の人や指導者に対し、自分のなした行為や心中に犯した罪を告白する。

㈡ 目に見えぬ神仏に向かって自分のいたらなさを悔《く》い、より高きへ上る覚悟を表白する。

㈢ ただひたすら真理（妙法）を思念することによって、心の迷いを払い去る。

この経典は主として㈡と㈢とについて説かれていますが、一般の信仰者にとっていちばん大切なのは、この経の最後に述べられている在家の人びとの心得るべき五つの懺悔、なかんずくその第五の懺悔でありましょう。大切な字句の意味を簡単に解説しますと——

〈因果《いんが》〉とは原因結果の法則であり、仏教の骨格をなす教えです。

〈仏に至る菩薩道《ぼさつどう》を信じ〉というのは、すべてのものごとのありのままの相《すがた》、真実の性質というものを明らかにする教え、すなわち〈諸法実相《しょほうじっそう》〉による菩薩道こそ、仏になるためのただ一つの真実の道であることを堅く心に持《じ》することです。つまり、諸法実相の教えによれば、「人間性はどうにでも変えうることができる」ということになりますから、仏という理想像へ向かって進むことも、けっしてむなしい歩みではないことが確信されるのです。

〈久遠《くおん》の仏《ほとけ》は常に自分と共におられて滅したまわぬと知ること〉というのは、われわれは不生不滅《ふしょうふめつ》の久遠本仏に生かされていることを知り、確信することで、これが宗教的な悟りの極致であります。

この三つの信が確立すれば、いかなる人も自由自在の心境に達することができ、煩悩《ぼんのう》はあっても無きに等しく、生き生きとした、楽しい人生を送ることができましょう。それが本当の救いなのです。

注について

一、行の右肩にある漢《かん》数字は、底本《ていほん》である平楽寺《へいらくじ》書店版《しょてんばん》《訓訳《くんやく》妙《みょう》法蓮華経《ほうれんげきょう》弁開結《かいけつ》》の原文の相応個所を示す（上・中・下は、その行の上のほう・中ほど・下のほうから始まる段であることを示す）。たとえば、七〇—八—下とあれば、「底本七〇ページの、八行目の、下のほうから始まる段」ということになる（各品《かくほん》の表題=見出しも、一行に数える）。

二、語句の右肩にある洋《よう》数字は、巻末の注解番号《ちゅうかいばんごう》を示す（訳文の中には盛りきれぬ内容を持つ重要語句と、重要ではなくても文脈《ぶんみゃく》の都合で訳さずそのままにしておいた難解語句に限って、注を付した）。

無量義経

仏の徳と行に帰依したてまつる（徳行品第一《とくぎようほん》）

わたくしは、このように聞いております。
(1)お釈迦《しやか》さまが王舎城《おうしやじよう》の霊鷲山《りようじゆせん》にいらっしゃった時のことです。静かにお坐りになっておられるお釈迦さまのお側《そば》には、たくさんのすぐれた出家修行者《しゆつけしゆぎようしや》や(2)菩薩《ぼさつ》たちがいならび、一方には、空の上や海の底などに住む鬼神《きじん》たちも席につらなっていました。おおぜいの僧や尼僧《にそう》が別々に整然と控えている隣には、在家《ざいけ》の修行者たちもつめかけています。また、大王や小王・諸国の国王・王子・その家来たちをはじめとして、あらゆる人びとが聴聞《ちようもん》のためにぎっしりと周《まわ》りに集まってまいりましたが、すべての人が、まず(1)世尊《せそん》（お釈迦さま）のみ足に額《ひたい》をつけて礼拝《らいはい》し、次にその周りをぐるぐる回って帰依《きえ》（心から尊敬し傾倒する）の心を表し、香《こう》を焼《た》き、花をまいてご供養申し上げてから、一方に退《しりぞ》いて坐るのでした。
その菩薩たちの名をあげますと、文殊師利法王子《もんじゆしりほうおうじ》・大威徳蔵法王子《だいいとくぞうほうおうじ》・無憂蔵法王《むうぞうほうおう》子《じ》・大辯蔵法王子《だいべんぞうほうおうじ》・弥勒《みろく》菩薩・導首《どうしゅ》菩薩・薬王《やくおう》菩薩・薬上《やくじょう》菩薩・華幢《けどう》菩薩・華光幢《けこうどう》菩薩・陀羅尼自在王《だらにじざいおう》菩薩・観世音《かんぜおん》菩薩・大勢至《だいせいし》菩薩・常精進《じょうしょうじん》菩薩・宝印首《ほういんしゅ》菩薩・宝《ほう》積《しゃく》菩薩・宝杖《ほうじょう》菩薩・越三界《おっさんがい》菩薩・毘摩颰羅《びまばつら》菩薩・香象《こうぞう》菩薩・大香象《だいこうぞう》菩薩・師子吼王《ししくおう》菩薩・師子遊戯世《ししゆけせ》菩薩・師子奮迅《ししふんじん》菩薩・師子精進《しししょうじん》菩薩・勇鋭力《ゆえいりき》菩薩・師子威猛伏《ししいみょうぶく》菩薩・荘厳《しょうごん》菩薩・大荘厳《だいしょうごん》菩薩などで、二―四―上 皆すでに真理と一体となり、ほとんど(3)仏《ほとけ》に近い大菩薩ばかりです。

すべての人が、仏の戒《いまし》めを守ってはずれることがなく、心がしっかりと定まっていて、周囲の変化に動揺することもなく、(4)智慧《ちえ》が深く、世間の迷いや苦しみからすっかり離れきっており、また、そのような境地に達していることをはっきり自覚しているという、すぐれた徳の具《そな》わった人たちばかりです。

二―五―中 その菩薩たちの心は静かに落ち着いており、いつも思いを一つの道に集中して、散乱《さんらん》させることがなく、どんな境遇《きょうぐう》にも安んじ、ものごとにこだわらぬさっぱりした気持を持っています。どんなことでも、自己中心の考え方をせず、いろいろな欲にとらわれることもありません。また、ものごとの(5)実相《じっそう》を見誤《みあやま》ったり、つまらぬことにあれこれと心をまどわされることもなく、静かな、清らかな心境で、常に大きく、広く、宇宙や人生の奥深いところを見つめています。

二―六―下 長い間こういう心境を保ち続けて動揺することがありませんので、仏の説かれた数限りない教えを、すべて目の前に見るように理解し、記憶しているのです。こうして大きな智慧を成就《じょうじゅ》していますから、この世のあらゆるものごとがよく分かり、すべてのものごとの本当の性質と相《すがた》を、すっかり見通し、見分けることができ、あらゆる人間やものごとのさまざまな違いを、手に取るようにはっきりさせることができます。

二―八―下 また、すべての人びとの能力や性質や欲望を察知することができますので、善をすすめ悪をとどめる力と、どんな人をも動かさずにはおかぬ説得力をもって、もろもろの仏が教えをお説きになるそのみ後《あと》に続き、そのご精神のとおりに、多くの人びとを教化《きょうけ》することができます。

二―一〇―上 その教化の方法は、露のしずくが乾《かわ》いた土の上に落ちると、そこのところだけ塵《ちり》が立たなくなるように、まず手近な教えから入って、相手の人のたくさんの欲のうちのほんの塵ほどのものを鎮めてあげます。これがたいへん値うちのあることで、すべての迷いを滅した理想的な境地に達する道の入り口を開いてあげることになるのです。それからだんだんに(6)解脱《げだつ》の道を説いて、目前の悩みや苦しみを一つずつ除《のぞ》いてあげ、また、法を聞くことによって、心が洗われたように爽《さわ》やかになる喜びをも味わわせてあげるのです。

次に、深遠《しんえん》な(7)十二因縁《じゅうにいんねん》の教え（人間の肉体と精神の生成・変化に関する十二段階の原因・結果の法則）をしっかり説くことによって、根本の迷いに禍《わざわい》されてさまざまな悩みを引き起こし、真夏の烈日《れつじつ》に身を焼かれるような人生苦にあえいでいる人びとに、まるで夕立にあったような蘇生《そせい》の喜びを与えてあげます。その上で、いよいよ無上の教えである(8)大乗《だいじょう》を説いて、人間として本来かならず持っている善の根にしっとりした潤《うるお》いを与え、芽を出す条件をつくってあげます。また、世のため人のために尽くす行為の本になる善の種子《たね》をいっぱいにまいてあげます。そうすることによって、あらゆる人びとに無上の悟りの芽生えを起こさせるのです。

三―二―中
この菩薩たちの智慧は、太陽や月の光のように明らかで、しかも、すべての人びとを等しくその光で照らし出してあげるのです。また、人びとを導く適切な手段と適当な時点をよく知り、それを巧《たく》みに使い分けることによって、大乗の事業がますます大きな成果を上げるように力を添え、すべての人が回り道をせずに最高のめざめの境地に達するよう手引きすることに努めます。

三―三―下 このようにすぐれた智慧と、喜んで仏道のために尽くす精神を持っていますので、この菩薩たちは、いつも心が楽しく、しかもその楽しさというものは、感覚的な楽しさと違ってたいへん奥深い、真実の喜びなのです。また、限りない大悲の心を持っていますので、苦しんでいる多くの人びとに救いの手をさし伸べずにはいられないのです。

三―四―下 この菩薩たちこそ、一般の人びとにとって本当の善い友であり、大きな幸せを育てる土壌であり、招かずとも来てくれる親切な人生の教師であります。この菩薩たちは、まず人びとの気持を安らかにして心の喜びを起こさせ、だんだんに誤った道から救い出し、そこに芽生えた正しい心を護《まも》り育て、そして人生の依りどころとなる不動の信念を与えてくれるのです。

三―六―下 これらの菩薩は、どのような場合においても、多くの人びとの人生の教師となります。ものごとの見方・受け取り方・味わい方の分からない人にはそれを分からせてあげ、それらにいくらか欠陥のある人は、それを補《おぎな》って満足な状態に導いてあげます。また、心が統一を失って荒《すさ》み乱れている人は、精神をしっかりとまとめて正《しょう》気《き》に返らせます。

この菩薩たちは、譬《たと》えて言えば、すぐれた船長のようなもので、多くの人びとを仏の教えの船に乗せ、ものごとの変化に心を引き回されて悩み苦しむ迷いの世界から、変化を超越して苦悩を離れきった理想の境地、すなわち(9)涅槃《ねはん》の彼岸《ひがん》へ渡してくれるのです。また、すぐれた医師のようなもので、人びとの心の病《やまい》の症状をよく見極め、同時にさまざまな薬（教え）の性質もよく知り尽くしており、症状に応じて最も適合した薬をのませて、その病から救ってあげるのです。また、すぐれた調教師のようなもので、この菩薩たちの指導が、いろいろなわがまま心や行いをピタリとなくしてしまうことは、ちょうど上手な調教師がどんな荒々しい野生の象《ぞう》でも馬でも必ず柔和《にゆうわ》にしてしまうのと同様であり、あるいは、勇猛《ゆうもう》な獅子の威厳《いげん》がすべての獣《けもの》たちを服従させずにはおかぬのに似ています。

四―一―下　これらの菩薩たちは、最高の悟りに達するためのいろいろな修行を自由自在に行い、自分は仏の国に住んでいるのだという堅い信念を持っており、あらゆる(10)衆生《しゆじよう》を救わずにはおかぬという仏の願力《がんりき》に安心してすべてをお任《まか》せしながら、広くこの世を清めることに努力していますので、近い将来に必ず無上の悟りに達することができましょう。この菩薩たちは、以上のように、想像も及ばぬほどの徳を身につけているのです。

また、その席につらなっている(1)釈尊《しゃくそん》教団のすぐれた(11)比丘《びく》たちの名をあげますと、まず教団中智慧第一と言われる舎利弗《しゃりほつ》、(12)神通力《じんづうりき》第一と言われる目犍連《もつけんれん》、万物平等《ばんぶつびょうどう》を見通すことを修行の生命としている須菩提《しゅぼだい》、教えの解説では随一の摩訶迦旃延《まかかせんねん》、弥《み》多羅尼《たらに》の子で大雄弁家の富楼那《ふるな》、最初のお弟子の阿若憍陳如《あにゃきょうじんにょ》、天眼《てんげん》第一と言われた阿那律《あなりつ》、戒律を守ることにかけては第一と言われる優婆離《うばり》、いつもお釈迦さまのお傍《そば》についている阿難《あなん》、お釈迦さまの実子の羅睺羅《らごら》、それから優波難佗《うばなんだ》・離波多《りはた》・劫《こう》賓那《ひんな》・薄拘羅《はくら》・阿周陀《あしゅうだ》・莎伽陀《しゃかだ》などの高弟たち、それに、世間的な欲望から離れていることでは随一と自他ともに認める大迦葉《だいかしょう》、また優楼頻螺《うるびんら》迦葉・伽耶《がや》迦葉・那提《なだい》迦葉の三兄弟などでありました。ほかにも、このようなすぐれた比丘たちがたくさん座につらなっていました。皆すでに(13)阿羅漢《あらかん》の域に達しており、一切の心の結ぼれや迷いを消滅し、ものごとにとらわれることもない、本当に解脱した人たちです。

その時、大荘厳菩薩は、一同をくまなく見わたして、すべての人の心が仏さまの教えをうかがおうという一事に集中している様子を見定めますと、多くの菩薩たちと共に座から立ち、仏さまのみ前に進み、み足に額をつけて礼拝してから、その周りをめぐりながら美しい花を散らし、えも言われぬ香りの香を焼《た》きます。すると、美しい衣や、首飾《くびかざ》りや、価《あたい》のつけられぬほど貴重な宝珠《ほうじゅ》などが空から舞い降り、あたりに雲のように集まったのを、つつしんで仏さまに献じます。

また、素晴らしい器物にさまざまな美味《びみ》・珍味《ちんみ》がいっぱい盛られ、その色を見、香りを嗅いだだけで自然に満足を覚えるようなごちそうを、仏さまにたてまつります。また、りっぱな旗や、天蓋《てんがい》や、家具の類をお身の回りに飾り、妙なる音楽を奏して、仏さまをお慰《なぐさ》め申し上げます。そうして、おん前に進み、ひざまずいて合掌し、一同、心を同じゅうし、声を揃《そろ》えて偈《げ》(14)を唱え、仏さまのお徳を次のように賛嘆しました。

絶対の悟りを開かれ、すべての聖者の上に立たれる仏さまは、何というりっぱなお方であろう。

すべてに迷うことなく、現象に心を動かされることもなく、執着《しゅうちゃく》もないお方。

天上界のものをも、人間界のものをも、あらゆる動物たちまでも、自由自在に導かれるお方。

五—五—下 そのご行動の高貴さ、そのお徳の尊《とうと》さは、香り高い香のように、ひとりでに周りのものの心に染《し》み入る。

仏さまのお智慧にも、お気持にも、ご自分のために求められるものは微塵《みじん》もなく、お考えは、いつも、ものごとの中心にじっと注がれている。

五—六—下 他のものを分け隔《へだ》てする心も、天地の万物を小さく区別して見る考えもすでに消え去り、み心は常に静かであられる。

夢想《むそう》・妄想《もうそう》のたぐいがみ心に浮かぶことのないのはもちろん、もはや、人間の生活を支配する外界のあらゆる力から超越した境地におられるのだ。

五—七—下 仏さまのお身体《からだ》は、世間的な有るとか無いとかいう考え方で推《お》し量《はか》ることはできない。

五—八—上 また何かの因となったり、縁となったりするものでもなく、自他の区別もない。四角いとか円《まる》いとか短いとか長いといった尺度で考えられるものでもない。出るとか、隠《かく》れるとか、生《しょう》ずるとか、滅《めつ》するとかいうのでもなく、五—九—中 何かの原因や目的があって造られたとか、生じたとかいうものでもない。

五—九—下 坐っているのでも、臥《ふ》しているのでも、行くのでも住《とどま》るのでもない。動いたり転がったり、じっとしているのでもなく、進んだり、退いたり、安全であるとか、危険であるといった見方では考えられない存在。五―二―上これはよいと思われるから、これはよくないと思われるから、これは得になるから、これは損になるからというような計算どころか、彼《あ》れにはこう此《こ》れにはこうという区別さえなく、あちらから去ってこちらに来られるというようなこともない。青いとか、黄色いとか、赤いとか、白いとか、紅色だとか、紫だとかの世間的な種別などは一切ない常住不変《じょうじゅうふへん》の存在なのだ。

五―二―下そういう、譬えるものもない仏さまは、どうして生じたのかと言うと、(15)持戒《じかい》、(16)禅定《ぜんじょう》、智慧、解脱、(17)解脱知見《げだつちけん》などの徳を修められた結果であり、また(18)三昧《さんまい》、(12)六通《ろくつう》、(19)道品《どうほん》といったご修行から生まれたものであり、そうして得られた慈悲のはたらきと、智慧のはたらきと、はばかるところなく法を説かれるはたらきにもとづくものであるが、それも仏さまが衆生の一人として法を求め、何世にもわたり(20)善業《ぜんごう》を積まれた(21)因縁《いんねん》によるのだ。

六―二―中今われらが仰《あお》ぐ、仏さまの現身《うつしみ》の尊さ。

身の丈《たけ》は一丈《じょう》六尺《しゃく》、全身から紫金《しこん》の輝きを発し、まっすぐにお立ちになっておられるそのおすがたは、あたりを照らすような美しさ。有難さが心に染み入るようではないか。

額にある白い渦毛《うずげ》は月のごとく、うなじからは太陽のような光が四方に射しいで、渦を巻く頭髪は紺青《こんじょう》の色、頭頂《ずちょう》は高く盛り上がり、清らかなおん眼《め》は澄みきった鏡のごとく、そして正しく動き、紺色の眉《まゆ》はのびのびと、お口や頬《ほお》も正しく整《ととの》っておられる。

唇《くちびる》も、舌も、赤い花のようで、歯は白玉《はくぎょく》か雪のように白く、四十本きちんと揃い、額は広く、鼻は長く、お顔全体が広々として晴れやか。

胸には万字《まんじ》(22)（卍）が現れ、上部は獅子の胸のごとく張り、手も足も柔《やわ》らかで、車輪の紋が現れ、腋《わき》の下と掌《てのひら》に細い線が揃い、それが内外ともよくまとまっている。

上腕も下腕も長く、指はまっすぐで細く、皮膚はキメが細かく柔らかで、毛はすべて右のほうに渦巻いている。踝《くるぶし》や膝《ひざ》がよく現れていて形がよく、陰部は隠れて見えず、筋は細く、骨はがっしりしており、脚《あし》は鹿《しか》のようにすらりとしている。

ああ、前から拝しても、後ろから拝しても、五体残らず透《す》きとおるような美しさ。あくまでも清く、微塵の汚《けが》れもない。たとえ泥水《どろみず》に入られても泥に染《そ》まることなく、たとえ埃《ほこり》がかかってもお身体《からだ》にとどまることはない。

仏さまは、このような三十二のりっぱな相《そう》を具えられているが、さらに細かく、八十のすぐれた相をも拝見することができるのだ。

六一〇下 仏さまはこのような妙相を具えておられるが、実は相《すがた》に現れるとか現れないとかを超越した存在であられ、差別の世界だけを見る人間の眼《まなこ》では、とうていその本質を見ることはできない。本当は相《すがた》のないお方であられるのに、相《すがた》のある身としてここに出現しておられる。われわれすべての人間も、やはりそのとおりであるべきだ。

仏さまは無限の徳を具えておられるが、その徳をおすがたに現してくだされば こそ、われわれすべての人間が歓喜して礼拝し、帰依し、尊敬し、心を込めてうやうやしく対したてまつることができる。そこが、われわれにとって有難いのだ。

七一一上 それにしても、どうしてこのように胸に染み入るような美しさを、御身《おんみ》に成就されたのであろうか。わたしは思う。仏さまはどんなに悟られても、われすでに高しという慢心を起こされず、修行に修行を積み重ねられたからであろうと。

ああ、仏さま。今、わたくしども一同は、おん前にぬかずいて、帰依したてまつります。現象にとらわれたさまざまな心のはたらきから完全に離れられ、調教師が象や馬を巧みに調教するように万人を教え導き、しかもそのようなはたらきを当然の使命として一切の報《むく》いを求められない、大聖者たる仏さまに、心から帰依したてまつります。

(3)法身にも(23)色身《しきしん》にも持戒・禅定・智慧・解脱・解脱知見を成就された仏さまに、心から帰依したてまつります。

それらのお徳の自然の発現《はつげん》である尊いお相《すがた》に帰依したてまつります。

わたくしどもの頭ではとうてい考え及ばぬ、深遠な仏さまのお力に帰依したてまつります。

七—五—下 仏さまのみ教えは、雷《かみなり》が鳴りひびくように、広く世間に広まります。その教えには多くのすぐれた性質があり、譬えようもなく尊く、清らかで、たいへん奥深い内容を持っています。

しかも衆生の精神や行為の状態に応じて、(24)四諦《したい》・(25)六波羅蜜《ろくはらみつ》・十二因縁など、それぞれに適した教えをお説きくださいます。それゆえに教えを聞く人は、心が開け、人生途上のさまざまな変化によって起こる迷いや心のとらわれを、残らず断ち切ってしまうことができるのです。

七―八―中 また、その教えを聞く人は、次のような進歩を遂げることができます。

最も初歩の人は、心が仏道の流れに乗って正しい方向へ動きはじめた程度ですが、もう少し進みますと、迷いをあらまし消滅《しょうめつ》し、さらに進めば、もはや凡夫《ぼんぷ》へ後戻りすることのない境地に達し、ついには、あらゆる迷いを消滅した阿羅漢となります。

七―八―下 あるいは日々の体験によって仏の道を悟り、迷いも無く、消滅の変化を離れきった境界に至る人もあります。

さらに進んだ人は、外界のどのような変化にも動かされず、多くの人を救う仕事に没頭する菩薩の境地に達し、また、あらゆる善をすすめ悪をとどめるという素晴らしい力を得、どんな障害をものともせず悦《よろこ》んで法を説く勇気と、自由自在な説得力を身につけて、仏さまの奥深い教えを説くのです。

七―一〇―中 そのような人は、何のためらいもなく教えの清らかな流れに身を浸《ひた》し、溶《と》け入り、あるいはまた、身を躍《おど》らせて空中へ飛び上がるような自在さで教えを説きます。さまざまな難儀《なんぎ》がおそってきても、平然としてそれを潜《くぐ》り抜《ぬ》け、あいかわらず法を説いてやまぬという、強い精神力と自由自在な智慧を得るのです。

七―一一―下 仏さまが教えをお説きになり、それによって多くの人びとが感化を受けるありさまは、いま申し上げたとおりです。その清らかな尊さは限りないもので、わたくしどもの考え及ぶところではございません。わたくしども一同は、ふたたびおん前にぬかずいて、仏さまが、いついかなる場合にも、時と次第に従い、ピタリと当てはまる教えをお説きになる、そのはかり知れない仏智《ぶっち》に帰依したてまつります。

八―一一―中 深く人びとの心の底に染み入る、その教えの有難さに帰依したてまつります。

八―一二―上 地にぬかずいて、十二因縁・四諦・六波羅蜜の尊い教えに帰依したてまつります。

八―一二―下 世尊は、過去の長い年月、心を尽くし、身を尽くし、さまざまな徳を修めてこられました。それもけっしてご自身のためではなく、われわれ人間や、天上界の人びとや、鬼神たちや、ありとあらゆる生あるものを救おうとのお考えからでありました。

普通の人間としてはとうてい捨てきれぬすべての執着を擲《なげう》たれ、修行ひとすじに没入されました。財宝《ざいほう》はもとより、妻子に対する愛執《あいしゅう》も、ご自身が太子としてお生まれになった王城も、すべてお捨てになりました。そういう外面的なものばかりか、ご自身の肉体すら、ことごとく人のために投げ出されたのです。諸仏の教えられた身と心の清らかな持ち方の戒めは、命にかえてもお破りになることなく、害意ある者が刀杖《とうじょう》を振るい迫っても、悪口《あっこう》を浴《あ》びせても、罵《ののし》りはずかしめても、ついにお怒りになったことがありません。

八—七—下
こうして長い年月のあいだ修行を続けられ、身も砕《くだ》ける苦しさに遭《あ》われても、倦《う》み怠《なま》ける心など微塵《みじん》も起こされず、昼も夜も変わりなく、ともすれば周囲のものごとに乱されやすい心の動きを取りまとめられ、常に静かな落ち着いた心境でおられました。

八—八—下
この世の一切の道理・法則を普《あまね》く研鑽《けんさん》され、すべての人間の(26)機根《きこん》に立ち入り、その真相を見極める智慧を成就されました。

それゆえに、今や自由自在の力を得られ、どのような人間にもそれぞれに適応した教えを与え、あらゆる教えをみ心のままに説いて違うことのない、法の王となられました。

わたくしどもは、ふたたび三たびおん前にぬかずき、耐えがたきを耐えて、ついに至上《しじょう》の智慧を成就されたそのご努力に、心から帰依したてまつります。

一法から生ずる無量の義（説法品《せっぽうほん》第二）

こうして大荘厳菩薩《だいしょうごんぼさつ》は、多くの菩薩と共に偈《げ》を唱え、仏さまを賞めたたえましたが、それを終えますと、言葉をあらためて申し上げました。

「わたくしども一同には、世尊《せそん》のみ教えの中で、ぜひおうかがいしたいことがございます。いかがでございましょうか。お教えいただけましょうか」

お釈迦《しゃか》さまは、即座にお答えになりました。

「よろしいですよ。皆さん。いい時に聞いてくれました。何でも聞きたいことをお聞きなさい。わたしは、もうすぐこの世を去ろうとしていますが、その後《あと》で世の人びとの間に、わたしの教えについて疑問《ぎもん》が残ることがないようにしておきたいと思います。どんなことを聞きたいのですか。何でも説明してあげましょう」

そこで大荘厳菩薩は、一同の菩薩と声を揃《そろ》えて申し上げました。

「世尊。わたくしども菩薩が、まっすぐに最高無上《さいこうむじょう》[27]の悟りに達しようとするならば、どんな教えを修行したらよろしいのでしょうか。どんな教えが、わたくしどもを直接に最高無上の悟りへと導いてくれるのでございましょうか」

お釈迦さまは、お答えになりました。

「皆さん。ここに一つの教えがあります。これこそ、菩薩の皆さんをまっすぐに最高無上の悟りへ導くものです。もし菩薩がこの教えを学ぶならば、ただちに仏の悟りを得ることも可能でありましょう」

大荘厳菩薩は、お答えの終わるのを待ちきれないように、おたずねいたします。

「世尊。それは何という教えでございましょうか。その教えの内容はどんなものでございましょうか。そして、わたくしども菩薩は、それをどのように修行したらよろしいのでしょうか」

お釈迦さまは、じゅんじゅんと説きはじめられました。

一〇—五—上

「その一つの法門《ほうもん》とは、(28)無量義《むりょうぎ》という教えです。菩薩がこの無量義の法門を修《おさ》めようとするならば、まず次のことを見極めねばなりません。すなわち、この世のあらゆるものごとのありようは、一切が平等で、しかも大きな調和を保っているのです。

一〇—七—上 すべてのものごとは、大きいとか小さいとか、生ずるとか滅するとか、止《と》まっているとか動いているとか、進むとか退《しりぞ》くとか、さまざまな差別や変化があるように見えますが、その根本においては、ちょうど虚空《こくう》と同じように、ただ因縁によってあるということを見極めねばならないのです。

一〇—八—中 ところが多くの人びとは、この真理を知らず、目の前に現れた現象だけを見て、これはよくない、これはよい、これは得だ、これは損だなどと勝手な計算をし、そのために不善《ふぜん》の心を起こしてさまざまな悪い行為をなし、(29)六種《ろくしゅ》の迷《まよ》いの世界《せかい》をぐるぐる回りながら苦しみを受けるばかりで、いつまでもその境界《きょうがい》から抜け出ることができないのです。

一〇—一〇—下 菩薩の皆さん。こうした人間の苦しみの根源をはっきりと見極め、不断《ふだん》の苦しみにあえぐ人間の状態を憐れと思う心を起こし、大いなる慈悲心《じひしん》を奮《ふる》い立たせ、多くの人びとを苦しみから完全に救い出してあげようと決心しなさい。そうして、その目的を果たすために、ますます深く一切のものごとの実相《じっそう》を見極める修行をすることが大切です。

一〇—一二—中 どういうふうにして深く一切のものごとを見極めるかと言えば、この世のすべてのものごとの現在のすがたを、正しく見極めることによって、これからどのようなものごとが生じてくるか（生《しょう》）、そのものごとが、しばらくはそのままの状態を保つか（住《じゅう》）、異なったものに変化するか（異《い》）、あるいは消滅するか（滅《めつ》）を、冷静に見通さなければなりません。

ただたんに、そうした変化の様相を見通すだけでなく、その善悪をも知らなければなりません。現在のすがたがこうだから、これからこんな悪いものごとが生じてくる……あるいは、こんな善いものごとが生じてくる……ということも見通さなければなりません。その善い状態・悪い状態が、しばらく続くか、異なった状態へ変化するか、あるいは消滅するか……を見通すことも大切なのです。

(30)二―三―中 この生・住・異・滅という、ものごとの移り変わる状態と、その原因・結果とを見極めたならば、世の中のすべてのことがらは一刻も不変のままでいることはなく、常に生じ、かつ滅していることを、しっかりと悟らなければなりません。そして、その生・住・異・滅という変化が一瞬一瞬《いっしゅんいっしゅん》に行われていることを、よく見て取らなければなりません。

二―五―下 このような見極めがついたら、今度は世の多くの人びとについて、それぞれの機《き》根《こん》や、性質や、欲望を深く見極めなければなりません。人びとの機根も、性質も、欲望も千差万別ですから、当然、それぞれの人に説く教えも千差万別にならざるをえません。教えが千差万別であれば、むろん、その内容も千差万別になるわけです。このようにして、数限りない無量の教えが生まれるのです。

二一七—中
その無量の教えも、もともとは、ただ一つの真理（法）から生ずるものなのです。そのただ一つの真理とは、すなわち(31)無相《むそう》（特定の相《そう》のないもの）であり、そのような無相は一切の差別がなく、差別をつくらないもの（不相《ふそう》）であり、一切の差別をつくらないから、一切が平等であり、これを名づけて実相というのです。

二一九—上
菩薩の皆さんが、このような真実の相《すがた》を悟り、その悟りにもとづいて一切の生命《いのち》あるものを見わたしてみる時、おのずから湧《わ》いてくる慈悲心《じひしん》というものは、はっきりした根拠の上に立つ慈悲心ですから、けっして空虚《くうきよ》なものではなく、必ずりっぱな結果となって現れるものであります。すなわち、多くの人びとの苦しみを、それぞれの境遇《きようぐう》において巧《たく》みに抜き去ることができましょう。苦しみを抜き去ったら、そこでふたたび教えを説いて、多くの人びとに生きる喜びを与えることができましょう。

もし菩薩の皆さんが、いま述べたように、すべての教えの根本である、無量義の教えをしっかりと見定め、世の多くの人びとの機根・性質・欲望の状態に応じて、さまざまに説くという修行を続けていったならば、必ずそれだけで最高無上の悟りに達することができましょう。

一二一中
皆さん。このように非常に奥深く、仏の悟りに達する大道《だいどう》である無量義の教えは、その中に含まれている道理が真実であって、正しく、この上もなく尊《とうと》いものであります。過去・現在・未来にわたってあらゆる仏が、この教えが世に広まり、この教えによって人びとが救われていくように守護されるのです。ですから、この教えのとおり修行している限り、どのような邪魔《じゃま》ものも妨害《ぼうがい》することはできず、どのような他の教義もそれを動かすことはできません。また、どのような邪《よこしま》な考えにもうち崩されることがなく、どのような人生の変化に遭《あ》っても挫《くじ》けてしまうことはありません。

こういうわけですから、皆さんが、もし、まっすぐに無上の悟りに達しようと思うならば、必ず奥深い意味を持つこの無量義の教えを修めなければならないのです」

その時大荘厳菩薩は、ふたたび仏に向かって申し上げました。

「世尊。世尊のお説きになります教えは、たいへん奥深く、幅広くて、凡夫《ぼんぷ》にとっては、そのご精神のあるところをつかむのが容易ではございますまい。その教えを聞く衆生《しゅじょう》の機根や性質にいたしましても、まことに千差万別で、一々《いちいち》知り分けるのが容易ではございません。また、教えを学んで修行し、苦しみや悩みから解脱《げだつ》するのにもいろいろな道がありますので、どの道によるのがいちばん適しているかということも、なかなかつかみにくいことでございます。

わたくしどもは、もはや、どんな教えをうかがいましても、疑惑《ぎわく》を持ったり、理解に困難を感じたりすることはございません。けれども、一般の人びとの身になりますと、いったいどうしたらいいのか、と途方に暮れることもあろうかと存じます。そういう人たちのために、重ねておうかがい申し上げます。

世尊は、仏の悟りを成就《じょうじゅ》なさいましてからこのかた四十数年の間に、常に衆生のために、すべてのものごとにある生・住・異・滅の四つの相のこと、苦というものの正体、すべてのものごとは本来、空《くう》(31)であるということ、すべてのものごとは常に変化するものであるということ（無常《むじょう》）、すべてのものごとは孤立して存在するのではないということ（無我《むが》）、すべてのものごとは本来、大きいとか小さいとか、生ずるとか滅するとかいうことのないもので（無大《むだい》・無小《むしょう》・無生《むしょう》・無滅《むめつ》）、その本質においては、差別のないものであり（一相《いっそう》）、特別の相《すがた》をもつものではないこと（無相）や、すべてのものごとの真実の性質・真実の相《すがた》（法性《ほっしょう》・法相《ほっそう》）について、お説きくださいました。また、すべてのものごとは本来、平等で大調和しているもの（本来空寂《ほんらいくうじゃく》）であり、どこかから来たりどこかへ去ってゆくものでなく（不来《ふらい》・不去《ふこ》）、出てきたり、消えてしまったりするものでもない（不出《ふしゅつ》・不没《ふもつ》）ことをお教えくださいました。

二二―一二―上
その教えを聞いた人は、最初はただ何となく心温まるものを覚えるぐらいですが、だんだん法に近づくにつれて、その尊さが分かってまいります。そしてはっきりと、仏さまの教えこそ世の中で第一のものであることを確信するようになります。そうしていよいよ仏道に入りますと、第一に、信仰者の仲間入りをしたという光明《こうみょう》に満ちた自覚が生じ（須陀洹果《しゅだおんか》）、だんだん信仰が進んでくると、まだ不安定ながらよほど迷いを離れたという心境を得（斯陀含果《しだごんか》）、次には、もはや凡夫の境界へ後戻りしないまでの境地に達し（阿那含果《あなごんか》）、ついにあらゆる(32)煩悩《ぼんのう》を焼き尽くした清らかな身となります（阿羅漢果《あらかんが》）。もっと進めば、自分の体験を通じてことごとに仏の道を悟るようになり（辟支仏道《びゃくしぶつどう》を得《え》）、そこでいよいよ仏の智慧《ちえ》を得たいという最高の願い（菩提心《ぼだいしん》）を起こして、菩薩の修行に励み、次第次第に高い境地に上《のぼ》っていって、ついに仏の悟りにほど近いところまで達したものもございました。

一三―二―中
このようにして、仏さまが往時から今日《こんにち》までずっとお説きになりましたさまざまな教えの内容と、今、お説きになります教えの内容との間にどのような違いがあるために、この無量義の教えさえ修めればまっすぐに無上の悟りへ達することができるとおおせになるのでしょうか。

この点は、いかがでございましょうか。どうぞ一般の多くの人びとをかわいそうだとお考えくださいまして、その人びとのために詳しくお説きくださり、現世《げんぜ》はもとより、未来の世において教えを聞くであろう人びとが、少しも疑いを持つことがないように、そのわけをお示しいただきとう存じます」

そこで、お釈迦さまは大荘厳菩薩に向かっておおせになりました。

「よろしい。実にいい質問です。このように深遠《しんえん》で、言い知れぬ尊さを持った大乗《だいじょう》の奥義について、よくぞ聞いてくれました。あなたの質問は、たいへん多くの功徳《くどく》を生むことでありましょう。すなわち、人間界《にんげんかい》・天上界《てんじょうかい》のあらゆる人びとの迷いを除いて、安楽を与え、苦しみを根本から抜き去ってしまうでしょう。

これこそ、真の大慈悲《だいじひ》です。そして、真の大慈悲であればこそ、必ず真実のはたらきがあり、けっしてむだに終わることはありません。しかも、衆生のためのこういう慈悲は、あなた自身のためにも功徳を生ずるのであって、あなたは必ずまっすぐに仏の悟りへ達することができましょう。また、今の時代および後世《こうせい》において、多くの人びとを無上の悟りへ導くこともできましょう。

皆さん。わたしはずっと以前にブッダガヤーの菩提樹《ぼだいじゅ》の下に端坐《たんざ》して瞑想《めいそう》し、六年間の修行を結集した終極点に達して、ついに無上の悟りを得ることができました。その時、悟りを開いた眼《め》でこの世の一切のことがらを眺《なが》めてみますと、『今の段階の衆生に対して、この悟りをそのまま説くのはかえってよくない』という結論に達せざるをえませんでした。なぜならば、あらゆる人びとの性質や欲望にはいろいろさまざまな相違があって、一人として他と同じである人はないことが分かったからです。

それからこのかた、わたしは、ずっと教えを説いてはきましたが、いま言ったように、人びとの性質や欲望が一人ひとり違うので、教えのほうもいろいろさまざまな説き方をしました。もちろん、相手の境遇や、機根や、性質や、欲望に応じて、それにふさわしい説き方をし、それぞれに救い導いてあげてきたのです。

一四—三—中 そういうふうに衆生の程度に応じた説き方をしていますと、どうしても法の真実のすべてをうち明ける機会はなかなかないものであって、ついにこの四十余年間、究極の真理をすっかり説き明かすことなく過ごしたわけです。そのために、人びとの悟りの程度も千差万別であり、すべての人がまっすぐに最高無上の悟りに達するというわけにはいかなかったのです。

皆さん。教えというものの性格は、水がいろいろな汚《よご》れを洗い落とすはたらきに譬《たと》えることができます。井戸の水も、池の水も、大きな川の水も、谷川の水も、用水路の水も、大海の水も、皆いろいろなものの汚れを洗い落とすように、どの教えも人びとの煩悩の垢《あか》を洗い落とすという点においては同じです。しかし、その用途とはたらきを細かく分析してみますと、大きな川の水と、井戸の水と、池の水と、谷川の水と、用水路の水と、大海の水とでは、それぞれに違うところがあるように、教えというものも、やはり同様なのです。すなわち、人びとの迷いや苦しみを除くという点では区別はないのですが、その方法や結果にはさまざまな段階の相違があるわけです。

皆さん。どの水でも汚れを洗うことはできますが、それでも井戸と池とは違います。池と大河とは違います。谷川や用水路と大海は違います。(33)如来《にょらい》は自由自在に教えを説くことができます。したがって、その教えの表現も、また自由自在な形をとるわけです。初めのころに説いた教えも、中ごろに説いた教えも、ずっと後になって説いた教えも、よく人びとの煩悩を洗い落としたのではありますけれども、初めのころの教えと、中ごろの教えと同一だったとは言えません。中ごろの教えと、ずっと後になって説いた教えと、同じだったとは言えません。それぞれの説法《せっぽう》は、たとえ言葉の上では同じように見えても、内容の深さにおいてそれぞれ違っているのです。

一五―一―下 皆さん。わたしがブッダガヤーの菩提樹の下を立ち去って、ベナレスの鹿野苑《ろくやおん》へ行き、阿若憍陳如《あにゃきょうじんにょ》など五人の比丘《びく》のために四諦《したい》の教えを説いた時も、『この世のすべてのものごとは、本来〈空〉であり〈寂〉であり、いろいろな現象は常に新しく入れかわってとどまることがなく、刻一刻に生じかつ滅するものである』と説き、中ごろこの霊鷲山《りょうじゅせん》そのほか方々の場所で、多くの比丘や菩薩のために十二因縁《じゅうにいんねん》や六《ろく》波羅蜜《はらみつ》の教えを説いた時も、やはり同じことを言いました。今またここで無量義の教えを説くのに、やはり同じことを繰り返しています。

一五―七―下 皆さん。こういうふうに、初めに説いた時と、中ごろ説いた時と、今ここで説くのと、言葉は同じです。しかし、言葉は同じでも、その内容には大きな開きがあります。内容に開きがあるために、人びとの受け取り方にも違いが生じます。受け取り方に違いがあるために、得る悟りにもおのずから相違が生じてくるのです。

わたしが初め四諦の教えを説いたのは、(34)声聞《しょうもん》の境地を求める五人の比丘のためにしたのでありますが、しかし、多くの天上界の神々までが下りてきて法を聞き、そして(35)菩提心《ぼだいしん》を起こしたのでありました。中ごろいろいろな所で、深い意義を持つ十二因縁の教えを説いたのは、(36)縁覚《えんがく》の境地を求める人びとのためだったのですが、それでも、無数の衆生がそれを聞いて菩提心を起こし、中には声聞の境地に達し、すべての迷いを離れたその境地を保ち続けた人もありました。

一五―一二―下 次に十二種類の説き方で大乗の教えを説き、また大般若経《だいはんにゃきょう》や華厳経《けごんきょう》を説いて、菩薩たちのために、きわめて長い年月修行を積み重ねることの必要を強調したのですが、それでもその教えを聞いて、多くの比丘たちや天上界・人間界の人たちが、あるいは声聞のいろいろな段階の境地を得、あるいは縁覚の境地に至り、あるいは縁《えん》(37)起《ぎ》の教えをしっかりと身につけることができました。

一六―三―下　皆さん。こういうわけで、説く言葉は同じようでも、その内容にはおのずから開きがあり、内容に開きがあるために、人びとの受け取り方も違い、したがって、その教えを聞いて得た悟りもまた違ってくることを知ったのです。

とにかくわたしは、仏の悟りを得て初めて法を説いてから、今日大乗無量義経《だいじょうむりょうぎきょう》を説くに至るまで、苦《く》について、空について、無常・無我について説いてきたのです。また、すべてのものごとの本質は、真実であるとか仮であるとか、大きいとか小さいとかいった差別のあるものでなく、生ずることも滅することもない、一相であり無相であり、そのことが法相であり法性であるのであって、来ることも去ることもないものであると説いてきました。そして、多くの人びとに、目の前のものごとの生・住・異・滅という変化に心を迷わされてはならないと、説かなかったことはありませんでした。

一六―九―下　皆さん。こういうわけですから、一切の諸仏《しょぶつ》の説く真理というものは、ただ一つしかありません。その一つの真理を、多くの人びとがそれぞれ心に求めているものに応じて、さまざまな説き方をするわけです。また、仏の本体もただ一つなのですが、その一つの身が無数の身として現れ、また、その一つひとつの身が無数の種類のはたらきを示し、その無数のはたらきの変化の中にも、また無数の形式があるのです。

一七—一—中 皆さん。これがすなわち仏というものの不可思議《ふかしぎ》な、奥深い境地なのです。声聞や縁覚程度の悟りの人では、とうてい知ることはできません。ほとんど仏に近くなった最高の菩薩ですら、この境地は分かりますまい。仏になって初めて究め尽くされる境地であり、ただ、仏と仏との間にだけ了解し合うことのできるものなのです。

一七—三—中 皆さん。こういうわけで、わたしはさきに『非常に深遠であり、仏の悟りに達する大道である無量義という教えは、その中に含まれている道理が真実であって正しく、この上もなく尊いものであり、過去・現在・未来にわたって、あらゆる仏が、この教えが世に広まり人びとが救われるようにと、強く守護するものである』と説き、また『この教えのとおり修行している限り、どのような邪魔ものも妨害することはできず、どのような誤った考えにもうち崩されることがなく、どのような人生の変化に遭っても挫けてしまうことはない』と説いたのです。

菩薩の皆さん。あなた方が、もし、まっすぐに無上の悟りに達しようと思うならば、必ずこの深遠な無量義の教えを修めなければなりません」

お釈迦さまがこのように説き終わられますと、世界中が感動のあまりにうち震《ふる》い、空中からはいろいろな天の花々や、青蓮華《しょうれんげ》・赤《しゃく》蓮華・黄《おう》蓮華・白《びゃく》蓮華などが雨のように降ってきました。また、さまざまの匂いのいい香《こう》・美しい衣・りっぱな首《くび》飾《かざ》り・価《あたい》もつけられぬ宝物などが、無数にひらひらと空から舞い降り、お釈迦さまや、菩薩たちや、声聞たちや、法座につらなる大衆を供養《くよう》(38)しました。

また、りっぱな器物に、さまざまなおいしいごちそうを盛り、美しい旗や天蓋《てんがい》や家具の類をあちこちに置き、妙《たえ》なる音楽を奏し、仏の徳を歌に歌って賞めたたえるのでありました。すると、東方にある無数の仏の世界でも、感動のあまり大地がうち震い、美しい花や、香や、衣や、首飾りや、貴重な宝物や、美しい器に盛った食物や、旗や、天蓋や、家具などが空から舞い降り、どこからともなく美しい音楽が鳴りひびいて、その世界の仏や、菩薩や、声聞や、大衆を賞めたたえるのでありました。東方の諸仏の世界ばかりでなく、南方・西方・北方・東南方・西南方・西北方・東北方および上方・下方のありとあらゆる諸仏の世界でも、やはり同じようにして、教えを説かれる仏と、それを聴聞《ちょうもん》するすべての人びとを、共に供養するのでありました。

そこで、聴聞者の中の多くの菩薩たちは、無量義の教えにしっかりと精神を集中し、ますますその教えに没入する三昧《さんまい》の境地を得ました。また多くの菩薩たちは、たくさんの人びとを教え導いて、悪をとどめ、善を保たしめる無限の力を得ることができ、(39)三世《さんぜ》のすべての仏が説き続けてこられた教えを受け継いで、よくそれを説き広めることができるようになりました。

また、その座に参列していた多くの出家修行者《しゅつけしゅぎょうしゃ》・在家《ざいけ》修行者・もろもろの鬼神《きじん》・大王・小王・諸国の国王・王子やその家来《けらい》たちをはじめ、あらゆる階層の人びとや、その家族たちは、次元や段階の違いはあるにしても、それぞれに心の悟りを得ることができました。また、多くの人が、程度の差こそあれ、それぞれに善を保って失わせず、悪をおしとどめて起こさせない力を得、仏の教えをまちがいなく世の人びとに説き広めるようになり、途中でその熱意を失ったり、行動をやめてしまうようなことはありませんでした。そのほか、無数の人びとが、最高無上の悟りを得るために修行しようということを、胸中にしっかりと思い定めたのでありました。

無量義を知って得る十の功徳（十功徳品《じゅうくどくほん》第三）

その時大荘厳菩薩《だいしょうごんぼさつ》は、あらためて仏に向かって申し上げました。

「世尊《せそん》。世尊はこの非常に奥深い大乗《だいじょう》の教えである無量義経《むりょうぎきょう》を、お説きくださいました。まことに絶対真実の教えであり、この上もなく有難い、深遠《しんえん》な教えでございます。なぜかと申しますと、聴聞《ちょうもん》いたしましたおおぜいの人びとの中で、多くの菩薩たちや出家《しゅつけ》・在家《ざいけ》の修行者《しゅぎょうしゃ》たちは申すに及ばず、ありとあらゆる生物・鬼神《きじん》たち・国王やその家来《けらい》たちから一般の大衆に及ぶまで、この無量義の教えをうかがって、心の迷いを去るいろいろな段階の境地を得、あるいは無上《むじょう》の悟《さと》りを求める心を起こさないものはなかったからでございます。

一九―八―中
本当に、わたくしどもは、この教えが真実であって正しく、この上もなく尊《とうと》いものであることを、知らなければなりません。また、三世《さんぜ》の諸仏《しょぶつ》がお守りくださるものであり、もろもろの妨害者《ぼうがいしゃ》も、さまざまな他の教えも、これを侵《おか》すことはできず、一切の誤った考えにも、この世の一切の変化にも、うち崩《くず》されることのない、尊い教えであることを知らなければなりません。なぜならば、ひとたびこの教えを聞けば、この世のあらゆるものごとのありようがすっかり分かって、自分のものになり、あらゆる場合に正しく即応できるからでございます。

もし、ある人がこの教えを聞くことができましたら、その人は大きな利益《りやく》を得たことになります。なぜかと申しますと、この教えのとおりに修行すれば、必ずまっすぐに最高無上の悟りに達することができるからでございます。反対に、この教えを聞くことのできなかったものは、大きな利益を失ったものと言わなければなりません。その人は、無限の時を経過しても、ついに無上の悟りを成就《じょうじゅ》することができますまい。なぜならば、まっすぐ無上の悟りに達する大道《だいどう》を知らず、間道《かんどう》の険しい小《こ》路《みち》を行くわけですので、邪魔《じゃま》ものや困難がいろいろと待ち受けているからでございます。

二〇―六―中

世尊、この教えは、凡夫《ぼんぷ》には考え及ばぬような深遠なものでございます。それゆえ、お願いでございますから、どうぞわれわれを哀れとお考えくださいまして、奥深いこの教えを、実践の面から具体的におし広めて、お説きいただきとう存じます。

世尊。この教えは、いったい、どこから出てきたものでございましょうか。そして、どういう目的へ向かって行くものでございましょうか。また、この教えのとどまる所はどこなのでございましょうか。この三つのことが分かりますれば、この教えが量り知れない功徳《くどく》と力をもって、多くの人びとをまっすぐに無上の悟りへ達せしめる、その理由も分かることと存じます」

それをお聞きになった世尊は、たいそうお喜びになって、次のようにおおせられました。

「よろしい。そのとおりです。そのとおりです。あなたの言うとおりです。わたしが、なぜこの教えを説くのか、その真意というものは、深い深いところから出ているのです。その理由は、あなたが言ったように、この教えは多くの人びとをまっすぐに無上の悟りへ導くことができるからです。この教えを聞けば、ありとあらゆるものごとに通ずる法則が分かり、それがしっかりと自分のものになるからです。そうして、この教えは多くの人びとに大きな利益を与え、直接に無上の悟りへ達する大道へ導いて、邪魔ものや困難に煩《わずら》わされないようにしてあげられるからです。

二一―三―中　善男子よ。あなたは、この教えはどこから来て、どこへ行き、どこにとどまるかを知りたいと言いました。それでは、しっかり聞いていてくださいよ。この教えの源《みなもと》と言えば、ほかでもありません。諸仏の心の奥から溢《あふ》れ出たものなのです。この教えは何を目的として説かれたのか、それは一切の人びとに最高無上の悟りを求める心を起こさせるためであります。また、この教えは常にどこに存在するのかと言えば、人びとが菩薩行《ぼさつぎょう》(40)を行うその実践の中にこそ存在するのです。

二一―六―下　善男子よ。この教えは、このようなところから発し、このような目的を持ち、このようなところにその生命《いのち》の発現《はつげん》があるのです。さればこそ、この教えには量り知れない功徳があり、考え及ばぬほどの力があって、多くの人びとを直接に無上最高の悟りへ導くものなのであります。善男子よ。それよりもあなたは、この教えに十の不思議な功徳の力があるのを、聞きたいとは思いませんか」

大荘厳菩薩は即座に、

「どうか、うかがいたいものでございます」と申し上げます。仏は、さもあろうとうなずかれて、次のようにお説きになりました。

「善男子《ぜんなんし》よ。第一にこの経は、大乗の教えを学んでいるもので、まだ、しんそこから仏の智慧《ちえ》を得たいという心を起こしていないものには、そういう発心《ほっしん》をさせます。また、人を幸せにしてあげようという気持のないものには、そういうなさけ心（慈心《じしん》）を起こさせます。人を苦しめたり、生きものを殺したりすることを好むものには、かわいそうに思う心を起こさせて、苦しめたり殺したりしないばかりか、逆に苦しんでいるものを助けてあげたいという心（大悲《だいひ》の心）を起こさせます。自分よりすぐれた人や、幸せに見える人に対してねたみ心や憎しみを感ずるくせ（嫉妬《しっと》）のあるものも、この教えを聞いてよく理解すれば、自分などはとうてい及びもつかぬと思っていた人でも、仏の前では自分と変わりのない人間だということが分かり、そのことを自覚したことによる心からの喜び（随喜《ずいき》）が起こるために、人に対するねたみ心などは消えてしまうのです。

自分の身の回りにあるもの、すなわち、財産とか、地位とか、名誉とか、家族とか、そういったものに執着《しゅうちゃく》するあまり、悪いことをしたり、あるいは自分の心を苦しめている人は、この教えを聞くと、捨てるべき時にはいつでも捨てていいぞという、とらわれぬ気持（能捨《のうしゃ》の心）を持つようになりますので、いつものびのびとした自由自在な気持で活動できるようになります。

また、もの惜《お》しみをする心や、人のものをむやみと欲しがる心（慳貪《けんどん》）のはげしい人も、この教えを聞けば、ひとりでに(25)布施《ふせ》の心が湧《わ》いてきて、人によくしてあげるようになります。また、自分は偉い、よく悟っている、行いにもまちがいはないというおごりたかぶった心（憍慢《きょうまん》）の多い人も、この教えを聞けば、自分のいたらなさが分かり、自分の心や行いのまちがいが目に見えてくるために、仏の教えられたいろいろな戒《いまし》めをしっかり守って修行しなければならないという心（持戒《じかい》）が起こってくるのです。

また、わがままな怒り（瞋恚《しんに》）のくせのあるものも、この教えに触れれば、自他一体という感情が養われてくるために、怒りや、恨《うら》み心が起こらなくなります。また、自分の進むべき道に一心にならず、怠けたり、ほかのつまらぬことにうちこんだりする傾向（懈怠《けだい》）のあるものは、この教えを聞けば、自分に与えられた使命を一心に実践すること（精進《しょうじん》）こそ、価値ある生き方だということがしんから分かりますので、本来の道をわき目もふらず進むようになります。

また、周りの事情が変わるたびに、心が乱れ、動揺する（散乱《さんらん》）人も、この教えを聞いて、移り変わっているように見える現象もその本質においては、常に大調和しているのだという真実が分かってくると、いつも静かで、安心した心（禅定《ぜんじょう》）になってくるのです。

また、ただ本能の衝動のまま、目の前の欲望のままに行動する愚《おろ》か（愚痴《ぐち》）な人も、この教えを聞くと、人間として大切な智慧が生じてきますから、なすべきこととなすべからざることとの区別が、はっきり分かるようになって、人間らしい正しい生き方をするようになります。また、ほかの人を救ってあげたいという心を起こしたことのない人でも、この教えを聞けば、自分だけがこの世に生きているのではないから、自分も他も一緒に救われなければ本当に幸せにはならないのだ……ということが分かってきて、ひとりでに他を救おうという気持が起こります。

また、いろいろな悪い行いをなすものには、それらの悪行《あくぎょう》をすべて払い去った清らかな境地に達しようという心（十善《じゅうぜん》の心）を起こさせ、現象面の幸福ばかりを追っている（有為《うい》を楽《ねが》う）人には、本当の幸せは現象の変化にまどわされないことにあるのだという信念（無為《むい》の心）を持つように導き、信仰心が後戻りする傾向のあるものには、一歩も退《しりぞ》くことのない不動の信仰心（不退《ふたい》の心）を与えます。また、煩悩《ぼんのう》のおもむくままにものごとをなす（有漏《うろ》を為《な》す）ものには、煩悩という迷いを離れた心ですべてのことを行う（無漏《むろ》の心）ように導き、いつも煩悩に心を苦しめられているものには、仏を見つめることによって、煩悩をなくそうという心（除滅《じょめつ》の心）を起こさせるのです。

以上が、この教えの第一の功徳の不思議な力なのです。

善男子よ。第二に、この経の不可思議な功徳の力というのは、もしある人がこの教えをひととおり聞き、あるいはその中の一偈《いちげ》でも、またはただの一句でも聞いて、それを理解したならば、それだけで、数えきれないほど多くの意味を明らかにすることができて、無限の年月をかけても、自分の心中にある教えの全部を説き尽くすのが不可能なほどになるでしょう。なぜならば、この教えは、その意義が非常に深くて、幅広いものであるからです。

善男子よ。この教えは、譬《たと》えて言えば、一個の種子《しゅし》を植えれば、それからまたたくさんの種子がとれ、そのたくさんの種子からそれぞれまたたくさんの種子がとれ、こうして次々に展開してゆけば、数えきれないほどの収穫になるように、この教えも同じようなはたらきをするのです。一つの教えの中から、たくさんの意義が生まれ、その一つひとつからまたたくさんの意義が生まれ、このように次々に展開していって、数限りない意義が生まれるのです。そういうわけで、この教えを無量義と名づけたのです。善男子よ。このように、ただ教えの一部分を理解しただけでも、それが無限に展開して多くの悟りを得ることができる……これが、この教えの第二の功徳の不思議な力なのです。

善男子よ。この教えの不可思議な功徳力の第三は、もしある人が、この教えをただ一ぺん聞き、またはその中の一偈一句でも聞いてそれを理解したならば、それだけでも、数えきれないほどの多くの意味を明らかにすることができるようになって、まだ心の底に煩悩が残っていても、まったく煩悩がないのと同じ状態に達し、人生途上においてどんな重大な変化に遭《あ》おうとも、恐れたりびくびくするようなことはありますまい。煩悩の中をさまよっている多くの人びとを見ては、心からかわいそうに思って、救いの手をさし伸べずにはおられない心が起こり、また、すべてのものごとをやってゆくのに、どんな困難をも乗り切ってゆく勇気を得ることでありましょう。

力の強い人は、いろいろな重い荷物をかついで、遠い道を行くことができますが、この教えをしっかりと心に刻み込んでいる人は、ちょうどそういった力の強い人に似ています。すなわち、無上菩提《むじょうぼだい》という非常に重い宝物をかつぎ、多くの人びとを背に負って、人生の変化に苦悩する境界《きょうがい》から運び出してあげるのです。

この教えを聞いた人は、まだ自分をすっかり迷いから抜け出させることができていなくても、ほかの人を救うことができるようになるでしょう。たとえば、渡し守りの船頭が重い病気にかかり、身体《からだ》の自由がきかないために、こちらの岸にとどまっていなければならなくても、船がしっかりしたいい船で、人を渡すための諸道具が揃っていさえすれば、その使い方を教え、船を与えて、人びとを向こう岸へ渡らせてあげることができましょう。この教えを信ずる人も、その船頭と同じはたらきができるのです。すなわち、自分はまだ迷いの世界から抜け出せず、百八の煩悩の重病にかかっている身であり、常にその病《やまい》につきまとわれて、迷いが多く、人生の変化に一喜一憂《いっきいちゆう》する生活をしていながらも、この大乗無量義の教えが多くの人びとを救うものであることをわきまえて、もし、その教えのとおり行うならば、人びとを人生のさまざまな変化による苦しみから救い出すことができるのです。善男子よ。これを、この教えの第三の功徳、不思議の力と名づけるのです。

善男子よ。第四に、この教えの不可思議の功徳力とは、もしある人がこの教えを、ひととおりでも、あるいは一偈一句でも聞いて、それを理解したならば、本当の悟りを得るためにはどんな困難をも冒《おか》して進もうという強い心が湧《わ》き、そのために、まだ自分は悟りきっていない身でありながら、他の人を悟らせてあげることもできましょう。そうして、多くの菩薩たちの仲間入りをすることができましょう。もろもろの仏は、いつも、その人のほうを向いていてくださり、しかも、その人に向かって教えを説いてくださるようになるでしょう。教えを聞いたら、すっかり自分の身につけ、そのとおりに行って、まちがうことはありますまい。それどころか、ますます次々に、多くの人のために、しかも人に応じ場合に応じた適切な教えを説くことができるようになるでしょう。

善男子よ。この人は、たとえば国王とその王妃との間に生まれた王子のようなものです。新しく生まれたその王子は、一日二日《いちにちふつか》と、また一月二月《ひとつきふたつき》と、そして一歳二歳とだんだん育っていって、少年期に入ります。まだ少年ですから、国の政治を扱うことはできませんが、早くも王子として臣民《しんみん》には尊び敬《うやま》われ、多くの大王の王子たちと友だちになって、対等につきあうようになるでしょう。王と王妃は、この王子をたいへんかわいがり、いつも傍《そば》にいて、一緒に話をしてくださるでしょう。なぜならば、どんなにりっぱな王子でも、まだまだ小さくて幼いからです。善男子よ。この教えを受持《じゅじ》する人も、ちょうどこの王子のようなものです。諸仏が国王に当たり、この教えが王妃に当たりますが、その間に生まれる王子が菩薩なのです。菩薩がこの教えの一句でも、一偈でも、ひととおりでも聞くことができ、あるいはもっともっと多くを学び、しかもそれを繰り返し繰り返し学ぶならば、よしんばまだ究極の真理を悟ることができないにしても、あるいは、まだこの広い世界を震《ふる》い動かすほど強力に世の中の人びとを教化《きょうけ》するまでには至らないとしても、雷鳴《らいめい》が八方にとどろくように普《あまね》く尊い教えを説き広めることができないにしても、しかも、一切の出家・在家の修行者はもとより、人間以外の仏教護持の鬼神たちにまで尊び仰《あお》がれ、多くの大菩薩たちを仲間とすることができるでしょう。もろもろの仏の悟られた奥深い教えを知り、それを人に説いても、真実を誤ることがなく、要点を漏《も》らすこともなく、そうして、いつも諸仏の慈愛《じあい》によって手厚く護《まも》られることでしょう。新しく菩薩の道に入ったばかりですから、諸仏は特にこうして慈悲《じひ》をかけてくださるのです。善男子よ。これが、この教えの第四の功徳、不思議の力なのです。

善男子よ。第五にこの教えの不可思議の功徳力とは、心根のよい男女の信仰者が、仏の在世中でもいい、滅度《めつど》の後でもいい、この奥深い無量義の教えを受持し、読誦《どくじゅ》し、書写《しょしゃ》するならば、その人がまだ煩悩に縛《しば》られている身で、いろいろな凡夫の行為から離れきれない境界にいようとも、しかもよく大菩薩と同じような行いを実現することができ、一日を数万年に延ばし、あるいは数万年を一日に縮めるような力を発揮して、多くの人びとの心に、仏の教えを受ける喜びを呼び起こし、その教えに心から従うように導くことができましょう。善男子よ。このことは、たとえば竜《りゅう》の子が生まれてまだ七日しか経《た》たないのに、よく雲を起こし、雨を降らせることができるのと同じであります。これが、この教えの第五の功徳、不思議の力であります。

善男子よ。第六に、この教えの不可思議の功徳力とは、次のようなものです。もし心根のよい人びとが、わたしの在世中でもいい、滅度の後でもいい、この教えを受持し、読誦するならば、たとえ、その人自身が煩悩を持つ身であろうとも、多くの人びとのために教えを説いて、その人たちを煩悩や境遇《きょうぐう》の変化に動揺する凡夫の境地からすっかり離れさせ、また、すべての人生苦を断ち切ってあげることができましょう。その人びとも、この教えを学んで、一心に修行したならば、その悟りうる真理や、信仰の結果や、達しうる仏道の境地は、仏と違いのないところまで至ることでありましょう。

たとえば、王子がまだ幼い身であっても、もし、大王が国中を巡遊《じゅんゆう》して不在だったり、あるいは病気で閉じ込もっていなければならない時、王子に国の政治の事務を委《まか》せて処理させることがあるでしょう。その時王子は、大王の言いつけによって、国法に定められたとおり、おおぜいの大臣や役人たちを動かして、正しく人民を導き育てる方策《ほうさく》を流させれば、国中の人民たちはそれぞれその要旨に従いますから、大王が政治を行うのと少しも変わりがありません。

この教えを受持する信仰者もそれと同じで、仏の在世中でもいい、滅度の後でもいい、たとえ、その人がまだ菩薩としての高い境地に達していなくても、仏が教えを説いたその精神をおし広めて説き、それを聞いた人びとが一心に修行したならば、よく煩悩を除き去り、本当の信仰を得、信仰のさまざまな結果を身につけ、あるいは菩提の道を悟るでありましょう。善男子よ。これがこの教えの第六の功徳、不思議の力であります。

善男子よ。第七にこの教えの不可思議の功徳力とは、もし心根のよい人びとが仏の在世中でも滅度の後でもよい、この教えを聞いて、心に喜びを覚え、さらに強く教えを信じ求める心を起こし、有難いと思う心を深くし、そしてしっかりとこの教えを受持し、読誦し、書写し、ひとに説き、また教えのとおり修行し、その結果、最高無上の悟りを得たいという決意を持つようになり、いろいろな善行《ぜんこう》の根本となる徳をだんだんと具《そな》えるようになり、それが深まって、ひとの不幸を除こうという心を起こし、苦しみ悩んでいる一切の人びとを教化しようと心から願うようになれば、まだ六波羅蜜《ろくはらみつ》のすべてを完全に修行していなくても、自然とそれが完成した状態になり、この娑婆世界に生活している身でありながら、人生のあらゆる変化から超越した心境を得、境遇の移り変わりに引きずられる心も、目の前の現象に苦しみ悩む迷いの心も、一時に断ち切られてしまい、菩薩としての第七の段階、すなわち自他の間に差別を感じなくなる境地にまで、達することができましょう。

二八—七—上　たとえば、勇士が王のために戦って敵を残らずうち払ってしまったならば、王は大いに喜んで、そのほうびに国の半分を領地として与えるでしょうが、この教えを受持する信仰者についてもそれと同じようなことが言えます。世の中にはいろいろな教えを行ずる人がありますが、その中で、この教えを行う人が最も意志が勇猛《ゆうもう》で強固です。それゆえ、六波羅蜜という法の宝も、求めないのにひとりでに身についてくるのです。現象の変化という人を迷わす敵も、自然に心の中から消え去り、仏道の功徳のおよそ半分にも当たろうかという尊い(41)無生法忍《むしょうぼうにん》の境地を自得し、ほうびとして仏からその領地とも言うべき涅槃《ねはん》を与えられ、以後安楽《あんらく》に暮らすことができましょう。善男子よ。これが、この教えの第七の功徳、不思議の力であります。

善男子よ。第八にこの教えの不可思議の功徳力とは、心根のよい人びとが、仏の在世中でも滅度の後でも、この教えを得ることができたならば、この経典《きょうてん》を仏の身と同じものと見て敬い信じることでありましょう。そうして、この教えに対して離れ難い思いをいだき、受持し、読誦し、書写し、深く尊んでおしいただき、教えのとおり実践し、持戒・(25)忍辱《にんにく》の行を怠《おこた》らず、それに兼ねて布施の行いをし、深い慈悲の心を起こして、この最高の法である無量義の教えを、人びとのために説いてあげるでしょう。二九―六―上

もし、生まれてからこのかた、さまざまな行いによって、自分が罪をつくっているとか、福のもとをつくっているとかいうようなことを、知りもせず、信じもしない人には、この教えによって、善悪の行いに罪や福のもとがあることを示し、それ

でもまだ信じきれない人には、いろいろな方便を使って、積極的に教化し、本当に信ずるようになるまで、導いてゆくことでしょう。そして、教えそのものに大きな力があるために、その人の信仰心を引き起こし、たちまちその人の心を、仏道へふり向けさせることができましょう。すでに信仰心が起こったならば、積極的に修行に精進しますから、この教えの素晴らしい功徳の力をいただいて、仏の道を悟り、さまざまな信仰の結果を得ることができるでしょう。

二九—一〇—上
こうして、心根のよい人たちは、この教えによる教化を受けた功徳によって、(42)娑《しゃ》婆《ば》に生きる身でありながら、境遇の変化に動揺しない心境を得、凡夫の境界から離れた一段上の境地に達することができ、菩薩たちの仲間入りをして、多くの人びとの人格を完成することによってこの世の中を清らかにし、さほど長い年月を経ることなく仏の悟りを成就することができましょう。これが、この教えの第八の功徳、不思議の力であります。

善男子よ。第九に、この教えの不可思議の功徳力とは、次のとおりです。もし、心根のよい人が、仏の在世中でも滅度の後でも、この教えに接して、魂の躍動するような喜びを覚え、今までかつてなかったほどの帰依《きえ》の心を起こし、受持し、読誦し、書写し、感謝のまことをささげ、そうして広く多くの人びとのために、この教えの内容を、それぞれの人に理解できるようにかみ砕いて解説してあげたならば、長い過去世《かこせ》から積み重ねてきた業《ごう》の中に、現世《げんぜ》の善い行いでも償《つぐな》いきれずに残っている罪や重い障《さわ》りがあっても、それを一時に滅し尽くすことができ、そのままやすやすと清らかな身になることができます。

三〇—六—中　しかも、どんな人をも仏の道に導くことのできる素晴らしい説得力を得、次第にいろいろな菩薩行をりっぱに成就し、また種々の精神集中の境地——とりわけ仏・菩薩だけが得られる高度の三昧《さんまい》の境地——を獲得し、もろもろの悪をとどめ善を保つ力を得、また常に精進してたゆむことのない力を得て、すみやかに菩薩の境界に上《のぼ》ることができ、いながらにして広い国土のありとあらゆる所にいる人びとを感化できるようになり、苦しみにあえぐすべての人を救い出し、洩《も》れなく迷いから抜け出させてあげることができましょう。この教えにはこのような大きな力が秘められているのです。善男子よ。これが、この教えの第九の功徳、不思議の力であります。

善男子よ。第十にこの経の不可思議の功徳力とは、次のとおりです。もし心根のよい人びとが、仏の在世中でも滅度の後でも、この教えを聞いて心に大きな喜びを覚え、いまだかつてなかったような帰依の心を起こし、自分も受持し、読誦し、書写し、心から感謝し、また、ほかの在家や出家の信仰者に勧めて、受持し、読誦し、書写し、供養し、解説《げせつ》し、教えのとおりに修行させたとしましょう。こうして、他の人にこの教えを修行するように仕向けたその力によって、自らが仏の道を悟り、さまざまな信仰の結果を得るでしょう。すなわち、人を幸せにしてあげたいというまごころから、努力して怠らず教化に骨を折るその力が、自分の身に返ってきて、そのままの身に、善をすすめ悪をとどめる量り知れないほどの大きな力を得ることでしょう。

三二—五—下　まだ凡夫の境地を離れていないのに、そしてまだ初心の身でありながら、自然と仏の道の学修《がくしゅう》と実践について多くの大切な願《がん》を起こし、多くの苦しんでいる人びとを憐れむ大きな心を持つようになり、現実に、その人たちの苦しみを除き去ってあげることができましょう。こうして、もろもろの高い徳を身に積み、一切の人びとに利益を与えるようになるでしょう。

そうして、教えの水を広くゆきわたらせて、渇《かわ》きを覚える人びとの心を潤《うるお》し、教えの薬を多くの人たちに施《ほどこ》して、心の病を癒《いや》し、すべてを安らかにしてあげるでしょう。そうしているうちに、自分の悟りも次第次第に高められ、ついには菩薩の第《だい》十地《じゅうじ》である法雲地《ほううんじ》、すなわち一切の人びとを救うことのできる境地に達しましょう。その恩は広く世を潤し、その慈悲の心は一人として洩れることなく一切の人びとを包み、苦しみ悩んでいる人びとを抱き取って、仏の足跡に導くことができましょう。そういう大きな菩薩行をなしたおかげで、この人は、さほど長い年月を経ることなく、仏の悟りを成就することができましょう。善男子よ。これが、この教えの第十の功徳、不思議の力であります。

善男子よ。このようにりっぱな無量義の教えは、非常に大きな教化力をもっていて、この上もなく尊いものであります。この教えは、どのような種類の凡夫であっても、それぞれに適応した教化力をもって、すべて聖者の境界に上らしめ、人生のいろいろな変化から超越して、いつも心が自由自在であるように導くものです。そのゆえに、無量義という名をつけたのです。また、まだ凡夫の境界にいる多くの人びとの心に菩薩心《ぼさつしん》の芽を生じさせ、その芽を菩薩行によって育てることによって、功徳の樹を茂らせ、伸びさせるものであります。そのゆえに、この教えを不可思議な功徳力と呼ぶのです」

　その時、大荘厳菩薩および多くの菩薩たちは、声を揃えて、仏さまに申し上げました。

「世尊。世尊のお説きくださいました、非常に奥深くて、仏の悟りに達する大道である無量義の教えは、その中に含まれている道理が真実であって正しく、この上もなく尊いものでございます。また、過去・現在・未来にわたってあらゆる仏さまが、この教えが世に広まり、この教えによって人びとが救われてゆくように守護してくださるものでございます。この教えのとおり修行している限り、どのような邪魔ものも妨害することはできず、さまざまな他の教えもその人を動揺させることは不可能であり、どのようなまちがった考えにもうち崩されることがなく、どのような人生の変化に遭っても、うち挫《くじ》けてしまうことはございません。

三二―九―下
　そういうわけで、この教えには十の功徳の不可思議の力があるとお説きになりましたのも、よく分からせていただきました。この教えは、無数の人びとに余すところなく利益を与え、すべての菩薩たちに、深く無量義《むりょうぎ》三昧《ざんまい》に入らせて乱れることのない精神を与え、あるいはもろもろの善を保ち悪をとどめる力を獲得させ、あるいは菩薩のそれぞれの尊い境地や、いろいろな境遇に動かされない安定した心境を得せしめ、あるいは縁覚《えんがく》の悟りもしくは声聞《しょうもん》としての高い境地を成就した実証を自ら感得せしめるものでございます。

三三―一―上 世尊は、わたくしどもをかわいがってくださるお心から、快《こころよ》くわたくしどものためにこの教えをお説きになり、法の大きな利益を与えてくださいました。めったに得難いことであり、今まで、こんな素晴らしい経験をしたことはございません。世尊のお慈悲・ご恩に対しては、どうしてお報《むく》いしてよろしいやら……とうていお報いはできないほど、広大無辺《こうだいむへん》な慈恩《じおん》でございます」

大荘厳菩薩らがこのように申し上げますと、世界中が感動のあまりにうち震い、空中からはいろいろな美しい花や、青蓮華《しょうれんげ》・赤《しゃく》蓮華・黄《おう》蓮華・白《びゃく》蓮華などが雨のように降ってきました。また数限りないさまざまのいい匂いの香《こう》・美しい衣・りっぱな首飾《くびかざ》り・価《あたい》もつけられぬほど貴重な宝などが、空の上からひらひらと舞い降り、仏および多くの菩薩や、声聞や、その他の大衆を供養しました。また、りっぱな器物に、その色を見、匂いを嗅いだだけで自然に満足を覚えるようなさまざまのごちそうが盛られ、美しい旗や天蓋《てんがい》や家具の類があちこちに置かれ、天人が妙《たえ》なる音楽を奏し、仏の徳を歌に歌って賞めたたえるのでありました。

すると、東方にある無数の仏の世界でも大地が感動のためにうち震い、美しい花や、香や、衣や、首飾りや、貴重な宝物が空から舞い降り、りっぱな器物に、色を見、匂いを嗅いだだけで自然に満足を覚えるような、さまざまなごちそうを盛ったものが、ささげられ、美しい旗や、天蓋や、家具などがあちこちに置かれ、何とも言えない音楽を奏して、その世界の仏や、菩薩や、声聞や、大衆を歌によって賞めたたえるのでありました。東方の諸仏の世界ばかりでなく、南方・西方・北方・東南方・西南方・西北方・東北方および上方・下方の、ありとあらゆる諸仏の世界でもやはり同じようにして、仏と菩薩と声聞と大衆とが供養されるのでありました。

その時に仏は、大荘厳菩薩および多くの菩薩たちにお告げになりました。

「あなた方は、当然この教えに対して深く敬う心を起こし、教えのとおり修行し、広く一切の人びとを教化しつつ、心を尽くし、力を尽くして、この教えを広めなければなりません。いつも心を込めて、この教えがまちがいなく伸び広がってゆくように守り育て、多くの人びとに、それぞれ法の利益を与えなければなりません。皆さん、その行いこそ、本当の大慈《だいじ》大悲《だいひ》というものであって、その大慈大悲の心から、衆生を救う自由自在の力が得られるようにという願を立てて、この教えを守り育て、この教えが世の中に広まり行われるのに、疑いや滞《とどこお》りのないようにしなければならないのです。そして皆さんは、それぞれ自分が世にいるその時にこの教えが広く行われるように努め、一切の人びとがこの教えに触れ、読誦し、書写し、供養することができるようにしなければなりません。そうすれば、そのおかげで、あなた方も、まっすぐに、そして早く、仏の悟りに達することができましょう」

　このとき大荘厳菩薩は、多くの菩薩たちと一緒に立ち上がって、仏のおん前にまいり、み足に額《ひたい》をつけて礼拝《らいはい》し、仏の周囲をめぐって帰依の心を表し、それから異《い》口《く》同音《どうおん》に申し上げました。

「世尊。わたくしどもをかわいそうにお考えくださり、慈悲をかけてくださいましたことを、有難く存じております。世尊は、わたくしどものために、非常に奥深くてこの上もなく尊い、無量義の教えをお説きくださいました。わたくしどもは、つつしんで仏さまのお言いつけを受けまして、仏さまがおなくなりになりました後にも、この教えを広め、普く多くの人びとがこの教えを信じ、読誦し、書写し、供養するように導きましょう。どうぞご心配くださいますな。わたくしどもは願の力をもちまして、多くの人がこの教えを聞き、読誦し、書写し、供養することができるように努力し、この教えの強い感化力による利益を与えてあげましょう」

それをお聞きになった仏は、たいへんお賞めになって、次のようにおおせられました。

「よろしい。非常に結構です。あなた方は、今こそ本当に仏の子です。広大な慈悲の心をもって、人びとの苦しみを除き、厄《わざわい》から救ってあげることができます。あなた方は、一切の人びとを導く良い導師になったのです。一切の人間の心の支えとなる人です。一切の人間に大きな恵みを施す人です。どうか、いつもこの教えの利益を、広く一切の人びとに与えてあげてくださいよ」

こうおおせられましたので、集まっていたおおぜいの人たちは、心に大きな喜びを覚え、仏さまを礼拝し、教えをしっかりと胸に刻みつつ、立ち去ってゆきました。

無量義経　完

妙法蓮華経

序　章（序品《じよほん》第一）

わたくしは、このように聞いております。お釈迦《しやか》さまが王舎城《おうしやじよう》の霊鷲山《りようじゆせん》にいらっしゃった時のことです。静《しず》かにゆったりとお坐りになっておられるお釈迦さまのお側には、たくさんの出家修行者《しゆつけしゆぎようしや》たちが、教えを聞くために集《あつ》まっておりました。この人たちはみんな、あらゆる迷いを除き尽くしたりっぱな信仰者でした。すなわち、肉体的な欲望にまどわされることもなく、精神的な迷いや悩みもすっかりなくなり、自らの人格を完成しつつあるばかりでなく、この世のいろいろな現象に対するとらわれから超脱し、自由自在な心境を得ているのです。その人たちの名前をあげますと、阿若憍陳如《あにやきようじんによ》、摩訶迦葉《まかかしよう》・優楼頻螺《うるびんら》迦葉・伽耶《がや》迦葉・那提《なだい》迦葉・舎利弗《しやりほつ》・大目犍連《だいもつけんれん》・摩訶迦旃延《まかかせんねん》・阿㝹楼駄《あぬるだ》・劫賓那《こうひんな》・憍梵波提《きようぼんはだい》・離波多《りはた》・畢陵伽婆蹉《ひつりようかばしや》・薄拘羅《はくら》・摩訶拘絺羅《まかくちら》・難陀《なんだ》・孫陀羅難陀《そんだらなんだ》・富楼那弥多羅尼子《ふるなみたらにし》・須菩提《しゆぼだい》・阿難《あなん》・羅睺羅《らごら》などで、多くの人びとに知られた大阿羅漢《だいあらかん》たちです。

また一方には、学修中のお弟子たちや、すでに学修を終えたお弟子たちがおおぜいつめかけておりました。その中には、お釈迦さまの育ての母摩訶波闍波提《まかはじゃはだい》(11)比丘尼《びくに》が、たくさんの尼僧たちを引き連れて坐っている姿も見えます。また、在俗時代の妻であり、一子羅睺羅の母である耶輸陀羅《やしゅたら》比丘尼が、多くの同信の人たちと一緒に、つつましやかに控えている姿も見えました。

また、非常に数多くの菩薩《ぼさつ》たちも、その座につらなっておりました。これらの菩薩たちは、みな最高無上《さいこうむじょう》の智慧《ちえ》に到達しようという志《こころざし》を持ち、常にその目的に向かって努力を続け、けっして後戻りすることのない人たちです。

三七—一一—上 みな、善はこれを保って失わせず、悪はこれをおしとどめて起こさせない、強い精神力と指導力を具《そな》えており、また自ら進んで喜びのうちに法を説き、人を正しく導く説得力をも兼ね具えております。そうして、車の輪がどこまでも無限に回転してゆくように、仏の教えを説き広める聖業《せいぎょう》に身をささげて、倦《う》むところがありません。

三七—一一—下 この人たちは、数えきれないほど多くの仏の教えを聞いて、心から感謝申し上げると共に、どこまでもその教えを実践してきた人たちです。また、多くの仏の教えにもとづいて、仏果《ぶっか》を得る大本の道であるさまざまの善い行いを積み重ね、常にもろもろの仏に賞めたたえられてきた人たちです。三八―二―上 また、人の幸せを願う心を人格完成の道の基本とし、しかもすべてのものの平等相《びょうどうそう》を知る仏の境地の入り口に達し、すべてのものの差別相をも明らかに見通す理智《りち》を得、三八―二―下 すでにすべての迷いを離れた悟りの境地に達しています。

その尊い名声は、生あるものの住むすべての世界に普《あまね》く知れわたっており、そうして数えきれないほどの人びとを救い導いてきたのです。

その名をあげますと、文殊師利《もんじゆしり》菩薩・観世音《かんぜおん》菩薩・得大勢《とくだいせい》菩薩・常精進《じょうしょうじん》菩薩・不休息《ふくそく》菩薩・宝掌《ほうしょう》菩薩・薬王《やくおう》菩薩・勇施《ゆうぜ》菩薩・宝月《ほうがつ》菩薩・月光《がっこう》菩薩・満月《まんがつ》菩薩・大力《だいりき》菩薩・無量力《むりょうりき》菩薩・越三界《おつさんがい》菩薩・颰陀婆羅《ばつだばら》菩薩・弥勒《みろく》菩薩・宝積《ほうしゃく》菩薩・導師《どうし》菩薩と申し上げます。このような数多くの尊い菩薩たちも、その座につらなっておりました。

バラモン教の神々も、その座につらなっておりました。すなわち、(43)帝釈天《たいしゃくてん》をはじめとする天上界《てんじょうかい》の神々、その部下の(43)四天王《してんのう》、娑婆世界《しゃばせかい》を司る(43)梵天《ぼんでん》の神々たちが、それぞれ多くの家来《けらい》を引き連れて控えております。また、水の底や空の上に住む数々の鬼神《きじん》たちも、やはり仏の教えを聴聞《ちょうもん》するために集まってきております。一方には、この国の王であり(44)韋提希夫人《いだいけぶにん》の子である(45)阿闍世王《あじゃせおう》も、多くの家来を従えておまいりしておりました。それらの会衆は、仏さまのみ足に額《ひたい》をつけて礼拝《らいはい》し、それぞれ一方に退《しりぞ》いて坐るのでありました。

　こうして多くの人びとが世尊《せそん》の周《まわ》りを取り囲み、等しく感謝のまことをささげ、敬《うやま》い尊び、そのお徳を賞めたたえましたが、世尊はこの人たちを前にして、多くの菩薩のために、人を救い世を救う素晴らしい教えである無量義《むりょうぎ》・(46)教菩薩法《きょうぼさつぽう》・(47)仏所護《ぶつしょご》念《ねん》という教えをお説きになりました。

　仏は無量義の教えを説き終わられますと、ゆったりとお坐りになって、あらゆる教えの基礎である(48)諸法実相《しょほうじっそう》の真理に全精神を集中する三昧《さんまい》にお入りになりました。そうして、心を動かすこともなく、身を揺《ゆ》るがすこともなく、いつまでもいつまでも静かに坐っていらっしゃるのでした。

　その時、空からは美しい花々が、仏のみ上にも、すべての人びとの上にも、ひらひらと降りかかり、大地も感動に震《ふる》え動きました。説法会《せっぽうえ》に集まっていた修行者たちをはじめとし、もろもろの他教の神々も、鬼神たちも、動物の王たちも、大小の国王も、すなわち人間たると人間以外のものたるとを問わず、その場に参じていたありとあらゆる生あるものが、今までかってなかったほどの深い帰依の心を起こし、大きな喜びを覚えつつ、思わず手を合わせて仏の尊いお顔を仰《あお》ぎ見るのでありました。

その時、仏さまの眉間《みけん》にある白い渦毛《うずげ》からパッと光が出たかと思うと、その光によって、はるか東のほうにある無数の世界が明るく照らし出されました。その光は、下は(49)無間地獄《むけんじごく》から、上は(50)有頂天《うちょうてん》に至るまで、すなわち東方世界のすみからすみまでくまなくゆきわたりました。

四〇—六—上　仏さまの眉間から放たれた光によって、この世にいながら、東方世界の様子《ようす》が手に取るように見えてくるのでした。あい変わらず六つの迷いの世界にうごめいている凡夫《ぼんぷ》の姿も、まざまざと見えます。その世界に出現されている諸仏のおすがたも見えます。その諸仏のお説きになる教えも、はっきり聞き取ることができます。

四〇—七—中　多くの出家の修行者や在家《ざいけ》の修行者がさまざまに仏道を修行し、それぞれの結果を得ているのも見えます。また、多くの菩薩たちの姿も見えますが、その人たちは、仏道《ぶつどう》に入った動機や条件などの違いによって、教えの理解や信仰にさまざまな相違があり、また外見も千差万別ではありますけれども、みんな仏となるただ一つの道である菩薩道《ぼさつどう》をひたすらに行じていることに変わりはありません。

四〇—九—下 また、もろもろの仏が、その世における生を終わられて涅槃《ねはん》に入られるご様子を拝することもできますし、その後で人びとが仏舎利《ぶっしゃり》をおまつりしてりっぱな塔を建て、そのお徳を仰ぎ慕うありさまも見えるのでした。

そのありさまを見て、弥勒菩薩は考えました。「世尊は今、非常に不思議な力をお示しになった。どうしたわけで、こういう光景を現して見せられたのだろう。仏さまにおたずねしたいにも、今は深い三昧に入っていらっしゃるし……だれに聞いたらいいものか。だれが正しい答えを出すことができるだろうか」……そう考えているうちに、ふと思い当たりました。「そうだ、世尊のみ心を、本当の子のようによく知っている文殊師利に聞いてみたら、分かるかもしれない。文殊師利は、過去《かこ》世《せ》において、数えきれないほどの仏さまのお側にお仕えしてきた人だから、こういうめったにない出来事でも、きっと見たことがあるに違いない。よし、これからさっそく聞いてみよう」このように弥勒菩薩は考えたのです。

四一—三—下 その時、出家・在家の修行者をはじめとして、その座につらなっていたすべての人たちも、弥勒菩薩と同じように、仏さまの眉間から出た光によって他の国土の光景が照らし出された、この不思議な出来事の真相を、だれに聞いたらよかろうか……と考えました。弥勒菩薩には、その人たちの心中がはっきり察せられたのです。そこで、自らの疑問を解決すると共に、この多くの人たちの不審《ふしん》をも解いてあげようと決心し、文殊師利に向かってたずねました。

「文殊師利よ。さっきから次々に現れた、不思議な、めでたい出来事は、いったいどういうわけで起こったのですか。また、仏さまが大光明を放たれて、東方万八千《とうぼうまんはっせん》の国土をお照らしになると、あの地も美しい仏の国土であることが見えました。これは、いったい、どういうわけなのでしょうか」

そこで弥勒菩薩は、もう一度繰り返して同じ意味を述べるために、偈《げ》を歌って次のように問いかけました。

文殊師利よ。この数々の不可思議は、何のゆえであろうか。

み仏は眉間の白い渦毛から光を放たれ、はるか東方、一万八千の国土を照らし出された。空からは美しい天の花々《はなばな》が雨と降り、梅檀《せんだん》の香を含む微風《そよかぜ》が吹きわたり、われらが心は、えも言われぬ喜びにうっとりとなった。

この地上もみるみる清まり、気高《けだか》い美しさに満ち、大地は感激に揺れ動いた。

四二―一―中 法会に参じた大衆はすべて、大いなる喜びに躍《おど》り立ち、身も心も豊かに、いまだかつて経験したことのない、不思議な有難さに浸《ひた》っている。

眉間から放たれた光明が、東方万八千の国々を照らし出せば、それらの国土はすべて金色《こんじき》と化した。

また、下《しも》は(51)阿鼻地獄《あびじごく》から、上《かみ》は有頂天に至るまで、人間が住むありとあらゆる世界の中で、(29)六道《ろくどう》を(29)輪廻《りんね》する無数の人びとが、生き変わり死に変わりして赴《おもむ》く所も、その善悪の行いも、行いによって受ける応報《おうほう》の種々相《しゅじゅそう》も、こちらの世界から手に取るように見える。

四二―五―上 また、多くのみ仏が、尊くもすぐれた教えを説きたもうさまも、ありありと見える。み仏たちのみ声は、清らかに、円《まろ》やかに、人びとの心の奥にまで染みわたり、菩薩に向かって説きたもう数々の教えの、えも言われぬ有難さに、もろもろの民人《たみびと》らも、おのずから引き入れられ、聞くことを願わずにはいられない。

み仏たちは、ただ一つの真理を説きたもうのだが、その在《お》わす各々の世界にふさわしく、あるいは過ぎし世の出来事を例に引き、あるいは自由自在の譬《たと》えを駆使《くし》し、真理に白日光《はくじっこう》を当てて明らかに浮かび上がらせ、諸人《もろびと》の悟りを開かせたもうのだ。

四二―九―中 生の苦しみ、老いの苦しみ、病《やまい》の苦しみ、死の苦しみのただ中にあって、逃《のが》れようとひたすら願う人のためには、「現象にとらわれぬ心ざま」を教え、一切の苦を除き尽くしたもう。

四二―一〇―下 前の世に善い行いを積み、み仏を供養《くよう》したてまつった報《むく》いにより、此の世においてすぐれた教えを求むる心を起こした人には、人生途上のさまざまな体験を契機《けいき》として悟りを開く「思索と自覚の方法」を教えられる。

四二―一一―下 さらに進んで、最高無上の真理を求めるために種々の修行にいそしむ人には、「他を救いつつ自らをも高める菩薩の道」を説きたもう。

文殊師利よ。このほかにもわたしは、いま此の土にいながら、はるか東方万八千の国土の人びとが、道を求めて修行する種々相を、無数に見、かつ聞いた。そのあらましを物語ろう。

四三―二―中 わたしは、彼《か》の国土の無数の菩薩たちが、さまざまな動機により、さまざまな環境や条件のもとに、ひたすら仏道を求むるありさまを、つぶさに見ることができた。

ある菩薩は、多くの人びとの幸せのために、ありとあらゆる貴重《きちょう》な財宝《ざいほう》を喜んで布施《ふせ》し、その善行《ぜんこう》によっておのが心に仏道を得ることを求め、諸仏も賞めたもう(52)三界《さんがい》第一の悟りを得ようと願っている。

四三—七—上 ある菩薩は、財宝ばかりか、おのが肉体も、頭脳も、労力も、また妻子の身までも法のためにささげ、仏の智慧を求めている。

文殊師利よ。わたしはまた、もろもろの王がみ仏のみもとへ参り、(53)無上道《むじょうどう》を問いたてまつるのを見る。豊かな国土をも、美しい宮殿《きゅうでん》をも捨て、寵臣《ちょうしん》をも、愛《あい》妃《ひ》をも捨て、鬚《ひげ》を落とし、髪を剃《そ》り、褐《かつ》一色《いっしょく》の僧衣をまとう身となったのを見る。

四三—一〇—下 すでに菩薩の身でありながら、願って一介《いっかい》の比丘となり、ひとり静寂《せいじゃく》の境《きょう》に住み、一心に経典《きょうてん》を読誦《どくじゅ》する姿をも見る。深山《しんざん》に分け入り、黙々として仏道に思いを凝《こ》らす、勇猛精進《ゆうみょうしょうじん》の菩薩をも見る。(54)世間《せけん》の欲を去り、空閑《くうげん》の地に坐禅し、深く三昧に入る修行を積み、神通力《じんづうりき》を得る菩薩をも見る。

四四―一―下 ある菩薩は、不動の心安らかに、合掌の姿もひたすらに、無数の偈をもってみ仏をたたえ、

ある菩薩は、智慧深く、志堅く、もろもろのみ仏に教えを請い、聞いてはことごとくわがものとし、

四四―四―上 ある菩薩は、禅定《ぜんじょう》・智慧の二徳を具足《ぐそく》し、さまざまな譬えを巧みに引いて大衆のために法を講じ、悟りを求むる人には常に喜びをもって説法・教化《きょうけ》し、仏道に障《さわ》りなすものを勇ましくうち払って、正法《しょうぼう》を世に広める。

四四―六―上 ある菩薩は、心動ぜず、言は寡黙《かもく》に、たとえ天人・鬼神に恭敬《くぎょう》されようとも、喜びとすることはない。

ある菩薩は、林中《りんちゅう》にあって身から光を放ち、光に慕い寄る人びとを地獄の苦より救い、仏道に導く。

ある菩薩は、夜も眠ることなく精励し、木《こ》の下陰《したかげ》を逍遥《しょうよう》しつつ、悟りを求めて思索する。

四四―九―上 ある菩薩は、み仏の戒をひたすら守り、身の振る舞い気高く、珠《たま》のごとき清らかな朝夕《ちょうせき》を送り、もって仏道を得ようとする。

ある菩薩は、忍辱《にんにく》の心に徹し、(55)増上慢《ぞうじょうまん》の衆の悪口も、迫害も、皆ことごとく忍び、もって仏道を得ようとする。

ある菩薩は、もろもろの遊戯・愛欲を離れ、愚《おろ》かなる仲間よりも遠ざかり、智慧成就《じょうじゅ》の人と交わるを喜び、一心に心の乱れを除き、静寂の境にて精神を統一し、億千万年の精進によって仏道を得ようとする。

ある菩薩は、さまざまな飲食《おんじき》、さまざまな湯薬《とうやく》、価《あたい》もつけられぬ高貴の衣を、み仏と(56)僧伽《そうぎゃ》（サンガ）に寄進する。

ある菩薩は、香り高き栴檀材の精舎と、美しい寝具を、み仏と僧伽に寄進する。

ある菩薩は、清らかな園林《おんりん》の、もろもろの花咲き、果実みのり、泉や小川や浴池をめぐらせた浄土《じょうど》を、み仏と僧伽に寄進する。

四五—五—上
かの菩薩たちは、これら貴重な布施の数々を、純粋な喜びのうちに、しかも飽《あ》くこともなくなし続け、もって無上の悟りに近づこうとする。

四五—六—中
ある菩薩は、すべてのものごとの実相を悟ることによって、煩悩から解脱する道を説き、大衆を教え導いている。

四五—七—中 ある菩薩は、この世の万物・万象の性質には、ほんらい相対的な差別というものはなく、それはちょうど虚空《こくう》というものがどこをとっても変わりがないのと同様であると、深く観じている。

四五—八—中 ある菩薩は、我《が》の執着《しゅうちゃく》をことごとく放下《ほうか》し、万人・万物の平等を観ずる至上の智慧に仏道ありとして、その道を求めてやまぬ。

文殊師利よ。わたしはまた見る。

み仏の入滅された後、ねんごろにおん舎利を供養する菩薩を。

数限りなく仏塔を建て、国土に気高い雰囲気《ふんいき》を醸《かも》し出す菩薩を。

その塔は、高く、美しく、正しい方形をなし、幢《はた》や幟《のぼり》や珠をつらねた幔幕《まんまく》で飾られ、美しい鈴が快い音をひびかせ、もろもろの天人も、鬼神も、人間も、人間以外の生あるものたちも、常に香をたき、花を供え、音楽を奏して、供養したてまつっている。

四六—二—上 文殊師利よ。かくして多くの菩薩が、仏舎利供養のため荘厳の塔をうち建てるやいなや、広い国土はえも言われぬ美しい世界と変わり、天上にあると聞く樹王の花が一時に開く心地《ここち》となった。

四六—四—上 み仏がおん額から一条の光を放ちたまえば、その国界はいよいよ清らかに、この世のものとも覚えぬ殊妙《しゅみょう》の美が展開された。

われらは聞く、諸仏は神通力を具えられ、智慧もまた人間の思惟《しい》を絶したもうと。

四六—五—中 今、み仏は清浄《しょうじょう》の智慧の光を放たれ、無数の国々をありありと照らしいだされた。われらは、いまだこのような不可思議を見たことはない。ただ、驚くばかりだ。何のゆえの奇瑞《きずい》かと、心まどうばかりだ。

み仏の法の子たる文殊菩薩よ。君ならば、そのゆえを知るであろう。願わくは、われらが疑いを解きたまえ。

見よ。ここにひしめく無数の大衆も、眼輝《まなこかがや》かせつつ君とわれを見つめているではないか。

世尊は、何のゆえあって、この光明を放ちたもうたのか。何をわれらに教えようとして、何をわれらに与えようとして、この光明を宇宙の果てまでのべたもうたのか。

四六—九—中 菩提樹の下に悟りたもうた至高の真理を、いま説かれんとのみ心か。

四六―一〇―中 われらもついに仏の悟りに至りうると、証したもう前触れか。
四六―一〇―下 いずれにせよ、文殊よ。(57)白毫相《びゃくごうそう》の光によってもろもろの仏国土の荘厳のさまを示され、もろもろの仏のみすがたを見せられたことは、なみなみの縁ではあるまい。

文殊よ。ここに参ずるすべての人間、そして人間以外のあらゆる生あるものたちも、期待をもって一心に君を凝視《ぎょうし》しているではないか。願わくは、答えたまえ。み仏は何を説かんとされているかを。

その時、文殊菩薩は、弥勒菩薩をはじめとする多くの菩薩たちに、こう語るのでありました。

「皆さん。わたしの推察にまちがいがなければ、いま仏さまは、最もすぐれた教えをお説きになり、その教えを普く一切衆生《いっさいしゅじょう》に及ぼし、その教えをいつまでも心にとどめさせ、その教えによって人びとの心を奮い立たせ、そして、その教えの内容をおし広めてお説きになろうとお考えになっていらっしゃるのだ、と思います。

皆さん。わたしが過去のもろもろの仏にお仕えしていた時も、このようなめでたい瑞《しるし》を拝したことがありますが、仏さまはこのような光を放たれた後で、最もすぐれた教えをお説きになりました。その経験から推し量れば、同じようなことが起こるのは確かです。いま仏さまがあの光を放たれましたのは、すべての衆生を、非常に深遠なむずかしい教えに耳を傾けさせる手段として、あのような瑞兆《ずいちょう》をお見せになったのでありましょう。

皆さん。昔々、ほとんど考え及ぶことのできないほど遠い昔のことですが、日月《にちがつ》燈明《とうみょう》という仏さまがおられました。その仏さまは、(3)四七―九―下 真如の体現者であり、世のあらゆる尊敬を受けるに値するお方であり、その智慧は正しくすべてのものごとにゆきわたり、しかも智慧と実践の両面を兼ね具えておられ、あらゆる迷いを去られたお方であり、さまざまの境遇を明らかに見分ける眼力を持たれ、この上もない完全な人格者であり、そしてすべての生あるものを意のごとく教え導く力をお持ちになり、天上界・人間界の大導師《だいどうし》であり、完全な悟りを開いたお方であり、この世において最も尊重せられるお方でありました。

四七―一一―上 その日月燈明如来は、世の人びとのために正しい教えをお説きになりましたが、初めのころの説法も、中ごろの説法も、そして終わりごろの説法も、説き方はそれぞれ違っても、常に素晴らしいものでありました。その内容は実に奥深く、お説きになるお言葉はまことに巧みでありました。その教えは、まじりけのない純粋なものであり、完全無欠であり、清らかであり、清らかな人生を教えるものでありました。

四七―一二―下 仏の教えを聞いて、個人的な悟りを得たいと求める人のためには、それにふさわしい四諦《したい》の法門《ほうもん》を説いて、生《しょう》・老《ろう》・病《びょう》・死《し》をはじめとするさまざまな人生苦から救い、現象へのとらわれから解脱した境地を極めさせてくださいました。四八―一―下 また、人生のいろいろな出来事を縁として自ら悟りを開こうと努めている人のためには、それにふさわしい十二因縁《じゅうにいんねん》の法門をお説きになりました。四八―二―中 また、もっと大きな志を持ち、人を救い世を救うことによって仏の境涯に達しようと望む人びとには、それにふさわしい六波羅蜜《ろくはらみつ》の法門を説いて、無上の悟りを得せしめ、また、あらゆるものごとを分析的にも総合的にも明らかに見通す大きな智慧を成就させてくださいました。

その日月燈明如来の後に、また仏さまがお出になりましたが、そのお方も日月燈明如来というお名前でした。またその次にお出になった仏さまも、やはり日月燈明如来というお名前でした。こうして二万の仏さまが次々にお出になりましたが、みんな同じ日月燈明如来というお名前で、姓も同じ頗羅堕《はらだ》と申し上げました。

弥勒よ。このことをよく心得なければなりません。初めから終わりまで、みんな同じ日月燈明如来というお名前で、すべて等しく仏としてのすぐれた徳を完全に具えたお方でありました。また、お説きになった教えにしても、初めごろのも、中ごろのも、終わりごろのも、すべてすぐれた教えでした。

その最後の仏さまがまだ出家なさる前、八人の王子をもっていらっしゃいました。その王子は、それぞれ有意《うい》・善意《ぜんに》・無量意《むりょうい》・宝意《ほうい》・増意《ぞうい》・除疑意《じょぎい》・響意《こうい》・法意《ほうい》というお名前でした。この王子たちは、みんなすぐれた感化力をもった徳の高い人で、それぞれ広い領地《りょうち》を治めていたのです。ところが、これらの王子たちは、父の王が出家されて最高無上の悟りを得られたことを聞くと、みんな王位を捨て、父上の後を追って出家し、仏の教えによって広く世を救おうという志を起こし、清らかに身を保つ修行をして、法の師となりました。そうして、数多くの仏さまのみもとで教えを受け、もろもろの美徳の根本《こんぽん》を身に植えたのでありました。

その時、日月燈明仏はおおぜいの人びとに、人を救い世を救う素晴らしい教えである無量義・教菩薩法・仏所護念という教えをお説きになりました。そしてそれを説き終わられますと、おおぜいの人びとの中にゆったりとお坐りになったまま、あらゆる教えの基礎である諸法実相の真理に全精神を集中する三昧にお入りになりました。そうして、心を動かすこともなく、身を揺《ゆ》るがすこともなく、いつまでも静かに坐っていらっしゃいました。

その時、空からは美しい花々が、仏さまのみ上にも、すべての人びとの上にも、ひらひらと降りかかり、大地も感動に震え動きました。説法会に集まっていた修行者たちをはじめとし、もろもろの他教の神々も、鬼神たちも、動物の王たちも、大小の国王も、すなわち人間たると人間以外のものたるとを問わず、その場に参じていたありとあらゆる生あるものが、今までかつてなかったほどの深い帰依の心を起こし、大きな喜びを覚えつつ、思わず手を合わせて仏さまの尊いお顔を仰ぎ見るのでありました。

その時、仏さまの眉間にある白い渦毛からパッと光が出たかと思うと、はるか東の方にある無数の世界が明るく照らし出されました。その光は世界のすみからすみまでゆきわたって余すところはありませんでした。それは、ちょうど今われわれが見た世界と同じでありました。

四九—一〇—下
弥勒よ。これからが大事なところですから、よく聞きなさい。その時説法会に集まっていたたくさんの菩薩たちは、仏さまの教えをうかがいたいものと、期待に胸をはずませていました。そこへ、仏さまの額から出た光明によって無数の世界が普く照らし出されるという不思議が起こりましたので、一同はこれまで経験したこともない深い感動を覚え、同時に、いったいこの光はどうしたわけで放たれたのだろうか、その理由や原因を知りたいものだと思わないものはありませんでした。

その中に、八百人の弟子をもつ妙光《みょうこう》という名の菩薩がありましたが、そのとき三昧を終えられた日月燈明仏は、この妙光菩薩に話しかけるという形をとって、一同のために大乗経《だいじょうきょう》(58)の妙法蓮華《みょうほうれんげ》・教菩薩法・仏所護念という教えを説きはじめられたのです。その説法は、はかりしれないほど長い間、一度も座をお立ちになることもなく続けられました。聴聞の人たちも、お側に坐ったまま、その長いあいだ身も心も動揺《どうよう》することがありませんでした。仏さまの説法がまるで一度の食事の時間ぐらいに短く感じられ、また、数多くの聴衆のうちに一人だって心や身体《からだ》に倦怠《けんたい》を覚えたものはなかったのです。

五〇—六—中
日月燈明仏は、非常に長い間かかってこの教えを説き終わられますと、ただちに聴聞していた異教の神々・魔神《ましん》・出家修行者・神の種族と称する人びと・天界の住人・人間・人間以外の鬼神たちなどに向かって宣言されました。

『わたしは、きょうの夜半、入滅《にゅうめつ》するであろう』と。

その場に徳蔵菩薩《とくぞうぼさつ》という菩薩がおりましたが、日月燈明仏は、その徳蔵菩薩が将来、仏の悟りに達するであろうことを保証され、こうおっしゃいました。

『この徳蔵菩薩は、次に必ず仏となるであろう。そうして、浄身如来《じょうしんにょらい》・応供《おうぐ》・正徧《しょうへん》知《ち》という名で呼ばれるであろう』と。

五〇―一一―中 日月燈明仏は、徳蔵菩薩に対する(59)授記《じゅき》を終わられますと、その夜中に入滅してしまわれました。その後、妙光菩薩が妙法蓮華の教えをお護《まも》りし、はかりしれないほどの長い間それを多くの人びとに説きました。日月燈明仏の八人の王子も、この妙光菩薩を師として学びました。妙光菩薩はかれらをよく教化して、仏の悟りをしっかりと身につけさせました。王子たちは、その後無数の仏にお仕えし、その教えを実践することによって、みな仏道を成就しました。八人のうち最後に仏となられた方を燃燈《ねんとう》と申し上げます。

また、妙光菩薩の八百人のお弟子の中に、求名《ぐみょう》という人がいました。利己的な欲望に対する執着が強く、そのために、いろいろと教えを学んでも、本当の意味に通ずることができず、忘れてしまうこともしばしばでした。そういうわけで求名（名声や利益を欲する者）という名がつけられていたのです。

五一—五一—下

しかし、この人も、その後多くの善行を積んだために、無数の仏さまに遇《あ》いたてまつることができ、それらの仏さまにお仕えして教えを実践し、心から仏さまを敬い、尊び、賞めたたえるという行いを続けたのでありました。

弥勒よ。その時の妙光菩薩というのはほかでもなく、実はこのわたしだったのです。そして、その求名こそあなたの前身なのです。

今、仏さまが白毫相の光を放たれ、東方万八千の世界を照らし出されたこの瑞《しるし》を見ますと、昔の日月燈明仏の場合と少しも違いがありません。そのことから推察しますと、今日《こんにち》の仏さまも、きっと人を救い世を救うすぐれた教えである妙法蓮華・教菩薩法・仏所護念と名づけられた教えをお説きになるに違いありません。わたしはそう確信します」

このように答えた文殊師利は、同じことをもう一度繰り返し述べようとして、偈をつくってそれを朗唱するのでした。

遠い遠い過去、量り知れぬ遠い昔、人間の中で最も尊いお方、日月燈明というみ仏がおられた。

すぐれた教えを説きたまい、無数の人を救って、仏の智慧へ導かれた。そのみ仏がまだ出家されぬころは、八人の王子の父であられた。八人の王子は、父なる人が出家し、大聖者《だいせいじゃ》となられたのを見るや、後を追って出家し、(60)五欲《ごよく》を断つ清らかな修行の道に入った。

その時、日月燈明仏は、無量義と名づくる大乗の教えを説きたまい、しかも、大衆の理解力の程度に応じて、巧みに説き分けられた。

日月燈明仏は、この教えを説き終えたもうや、法座に坐したまま、無量義に思いを集中する三昧に入りたもうた。

天からは美しい花々が、み仏のみ上に雨と降り、天の太鼓《たいこ》はおのずから微妙《みみょう》の音に鳴り、もろもろの天人・動物・鬼神たちまでが、み前にひれ伏して、さまざまに供養したてまつった。

その時、大宇宙のあらゆる国土が、感激にうち震えたのであった。

と見るや、たちまちみ仏の眉間から一条の光明が放たれ、光明のかなたに不思議の世界が現出した。

東方無数の国々が照らしいだされ、そこに住む一切衆生のさまざまな行為と、

その行為の報いによって生まれ変わる世界まで、ありありと見えてきた。

それらの世界は、どこもかしこも無数の美しい宝に飾られ、瑠璃《るり》や水晶《すいしょう》のように輝いていた。もとよりそれは、み仏の光によればこそ、かくは輝きいでたのである。

それらの世界をよくよく見れば、人間・天人・鬼神・動物までが、それぞれみ仏を供養したてまつっていた。

五二―一二―下 また、もろもろの如来のおすがたも見えた。純粋無垢《じゅんすいむく》(61)の仏性《ぶっしょう》が、そのまま磨《みが》き出されて仏陀《ぶつだ》となられたのだろうか。おん身は金色に輝き、こよなく端正《たんじょう》また荘厳《しょうごん》。

五三―一二―上 青き透き徹《とお》る瑠璃の中に現出する、純金の像にも譬うべきか。

そのような尊い身ながら、無数の大衆の中に立ちまじわり、深遠《しんえん》な教えをじゅんじゅんと説きたもうのであった。

それぞれの世界には、それぞれ無数の声聞《しょうもん》がいた。み仏の光に、かれらの姿も

ありありと浮かび出た。

多くの比丘は、深山または林中に、み仏の戒《かい》を堅く守って精進し、そのさまは、あたかも清らかな珠の、いささかでも傷つくのを惜しむかのようである。

五三―六―上　ガンジス河の砂の数ほどの菩薩たちが、布施行・忍辱行をはじめとする六波羅蜜を黙々と行じているのも見える。み仏のおん額からの光明に、美しく浮かび出されて見えるのだ。

また多くの菩薩たちが、さまざまな三昧の境に入り、身も心も深く静かに、真理に凝着《ぎょうちゃく》して揺るぐことなく、かくて無上の悟りを求めている。

五三―八―下　また、もろもろの菩薩は、この世のすべてのものごとの大調和した相《すがた》を知り、その真実をそれぞれの国土において人に説き、かかる実践を通じて、仏の悟りに達しようと願っている。

その時、その場にいた出家・在家の修行者たちは、日月燈明仏が現されたこの不可思議を拝し、驚きと、喜びと、期待に胸を躍らせながら、互いに顔を見合わせ、これはいったい何のゆえかと、口々に言い合った。

その時、天上界・人間界のすべての生あるものがこぞって尊び崇《あが》めるみ仏は、ようやく三昧境から立ち上がられ、妙光菩薩にみ声をかけられた。

五三―一二―下「妙光よ。そなたは世間の無数の人たちの、眼《まなこ》のかわりとなる人です。その智慧の眼によって、あらゆる事物《じぶつ》の実相を見通す人です。一切の人びとに帰依せられ、信じられ、もろもろの仏の教えをよく保持《ほじ》してやまぬ人です。わたしが説いたもろもろの教えも、そなたのみがその真実を悟っているのです」

み仏にこのような賞め言葉をいただいた妙光は、身の置きどころのないような感激を覚えた。

さて、み仏はそこで言葉をあらためられ、きわめて重大な教えを説きいだされた。妙法蓮華という教えであった。はかりしれぬほどの長い年月、み仏はこの教えを説き続けられ、一度も座を立ちたもうことはなかった。

この至高至妙《しこうしみょう》の教えも、妙光法師《みょうこうほっし》はことごとく理解し、心に刻みつけた。その他の聴聞者も、深い喜びを覚えた。

と、何としたことか、み仏はこう言い出された。

五四―五―下「わたしの教えの究極、諸法実相もすでに説きました。そこでわたしは、この夜半のころに、この世を去ることにしましょう。皆さんは一心に精進し、心身に放逸《ほういつ》がないよう努めなさい。現身の仏には、なかなか遇い難いものです。何十万年に一度、ようやく遇うことができるかどうか。それを忘れてはなりません」

なみいる弟子たちは、驚き、悲しみ、何ゆえにみ仏はこのように早く世を去りたもうのか、と口々に嘆き合った。

聖者の中の聖者、あらゆる教えの王なるみ仏は、人びとを慰めて、こうおおせられた。

「わたしが滅度《めつど》したからとて、憂うることも、怖《おそ》れることもありません。ここにいる徳蔵菩薩は、この世のものごとの実相に、すっかり通達《つうだつ》しています。この菩薩が次に仏となるでしょう。浄身と名づける仏となって、無数の人びとを救うことでしょう」

その夜、み仏はあたかも薪《たきぎ》が燃え尽きるように、静かに世を去られた。

み仏を慕ってやまぬ王たちは、争ってご遺骨《いこつ》を分配し、国中に無数の塔を建てておまつりした。

ガンジス河の砂の数ほどの仏弟子たちは、残されたお言葉のとおり、ますます精進の度を加え、一心に無上の悟りを求めた。
妙光法師は、み仏の数々の教えを堅く受持し、はかりしれぬ長い年月にわたり、妙法蓮華の教えを世に説き広めた。

五五―四―中 日月燈明仏の八王子も、この妙光法師によって、仏性を開発され、教化を受け、無上の悟りを求める志を堅くし、そのゆえに、無数の仏の教えを理解することができた。それらの教えに深く感謝し、随順して菩薩道を行じたために、八王子は次々に仏の悟りを得、互いに授記し合ったのであった。

五五―七―上 八王子の中で、最後に仏となられたお方を、燃燈仏と申し上げる。多くの聖者の師となり、無数の大衆を救って解脱の道へ導かれた。

さて、妙光法師に一人の弟子があった。修行を怠《おこた》る心が強く、名誉や利益にとらわれ、常に上流階級の家に出入りして、遊びほうけていた。習ったことも忘れ、教えの精神を理解することもなかなかできなかった。それゆえ、求名という名をつけられていた。

とはいえ、この求名も、次第に善行を積んでいくうちに、諸仏の教えが分かるようになった。そして、その教えに心から感謝し、随順して菩薩の道を行い、ついに六波羅蜜のすべてを具足する身となった。その功徳によって、今の世に釈迦《しゃか》牟《む》尼《に》如来《にょらい》に遇いたてまつることができた。しかも釈迦牟尼如来の教えを受けて、後の世に必ず仏となることができるであろう。仏号《ぶつごう》を弥勒如来と申し、無数の人びとを救いたもうであろう。

さて、弥勒よ。日月燈明仏の入滅の後、懈怠《けだい》の生活を送った求名こそ、実は君の前身なのだ。妙光法師は、わたしの前身にほかならぬ。そういうわけで、弥勒よ。わたしは前にもこのような、不思議な光明を見たことがある。かつて燈明仏が出された光明が、いま釈迦牟尼如来の出されたものと同じだった。

五六―五―下 これは、どのみ仏も共通に、よく用いたもう手段なのだ。聴聞の衆一同が諸法実相の真義《しんぎ》を究めたいとの志を、強く深く起こすようにとの、おはからいなのだ。さればこそ、弥勒よ。今の釈迦牟尼如来も、これから法華《ほっけ》の教えをお説きになるに違いない。

この会《え》に集まる人びとよ。今こそ時だ。大事な時だ。一心に合掌し、ひたすら待つがよい。み仏は至高の教えを、雨のごとく降らし、仏道を求むる者の心を満たしてくださるに違いない。

五六―八―下
声聞の境地を求める人よ。縁覚《えんがく》の境地を求める人よ。菩薩の境地を求める人よ。たとえいかような疑問や不安を持っていようとも、み仏は必ず普く払い去りたまい、余すところはないであろう。

真実は一つ、手段は無数（方便品《ほうべんぽん》第二）

その時、世尊《せそん》は静かに目をお開きになりました。三昧《さんまい》を終わられたのです。そうして、舎利弗《しゃりほつ》に向かってこうおおせられました。

「もろもろの仏の智慧《ちえ》は、非常に奥深く、とうてい量り知ることはできません。その智慧の教えは、たいへんむずかしく、入りにくいものです。声聞《しょうもん》や縁覚《えんがく》などは、まだまだそれを知ることはできません。なぜならば、おしなべて仏とは、かつて無数の仏に親しく教えを受け、その数々の教えをあらゆる努力を尽くして実践し、内外から起こる障害や困難を、勇猛心《ゆうもうしん》をもって残らず克服《こくふく》し、ただひたすら目的のためにつき進んでいったのち、ついに、すぐれた智慧をすべての人に仰がれるような身となったものです。こういう量り知れぬほどの努力の結果、今まで世に知られたことのない奥深い真実を悟《さと》ったのが、すなわち仏なのです。仏は、その真実を、人びとの機根《きこん》に応じた適宜な説き方で説くのですが、人びとは、その奥の奥の真意がどこにあるのか、なかなか悟ることができません。

五七―七―上
舎利弗よ。わたしが仏の悟りを得てからこのかた、いろいろと過去の実例をあげたり、譬《たと》えを引いたりして、多くの人びとに教えを説き広めました。すなわち、それぞれの人と場合に応じた適当な方法で人びとを導き、自己中心の考え方からこの世のさまざまなものごとに執着《しゅうちゃく》し、その執着のために苦しんでいることを悟らせ、それから離れさせることによって苦しみを解いてあげました。なぜそれができたかと言いますと、わたしは智慧と(62)方便《ほうべん》の両方を完成し、身に具《そな》えているからです。

五七―九―下
舎利弗よ。如来《にょらい》の智慧というものは、非常に広大であって、この宇宙間のあらゆるものごとを知り尽くしています。また、非常に深遠《しんえん》なものであって、はるか過去のことから、無限の未来のことまで、見通しているのです。すなわち、無量《むりょう》の衆生《しゅじょう》に無量の福を生ぜしめる徳《とく》と、教えにおける完全な自由自在と、この世のあらゆるものごとを知りうる力と、何ものをもおそれはばかることなく法《ほう》を説く根本的な勇気と、心の散乱を防いで静かに真理に思いを凝《こ》らす境地と、ものごとに対するあらゆる執着から抜け出て真の安心《あんじん》を得る心の持ち方と、精神を一事に集中してその一念を正しく持《たも》つ精神統一の法と、このすべてを具え、際限のない境地に深く入り、今までだれも知りえなかった真実を見極め、これまで人の達したことのない法を成《じょう》就《じゅ》したのであります。

五七―一―中 舎利弗よ。わたしは相手と場合に応じていろいろに説き方を変えて、巧《たく》みに多くの教えを説き、しかも常に柔らかでのみこみやすい言葉をもって説き、人びとの心に教えを聞くことの喜びを湧き起こらせたのです。

舎利弗よ。これまでに述べたことをひっくるめて言えば、普通の人間では想像することもできない、今までだれも達したことのない最高の法を、わたしはすっかり悟ったのです」

ここまでお説きになりますと、世尊は急に黙りこんでしまわれました。そして、しばらくしてふたたび口をお開きになると、こう言い出されたのです。

五八―二―下 「止めよう、舎利弗。これを説明してみても、分かるはずがないでしょう。なぜならば、わたしが究《きわ》めた法というものは、この世における最高の法であり、他に類《るい》のない、そして普通の人間ではとうてい理解のできないものであるからです。これは仏と仏の間だけでのみ、理解できるものなのです。

すなわち、もろもろの仏は、この世のすべてのものごとのありのままの相《すがた》を、見極め尽くされたのですが、わたしもまたそれを見極めたのです。

五八—四—下
つまり、すべてのものごとのそれぞれについて、それはこのような姿・形（相《そう》）をしている、このような性質（性《しょう》）をもっている、このような主体（体《たい》）をもっている、このような能力（力《りき》）が具わっている、このようなはたらき（作《さ》）をする、このような原因（因《いん》）があり、このような条件（縁《えん》）があって、このような結果（果《か》）を生ずる。それによってこのような影響（報《ほう》）を後に残す、ということであり、この相から報までの九つのことはすべて一貫しており平等な（本末究竟等《ほんまつくきょうとう》）ものである、ということを完全に見極めたのです」

こうお説きになった世尊は、重ねてその意を強調するために、次のような偈《げ》をお説きになりました。

仏とはどんな存在であるか。世間の尺度で計ることはできない。なべて天上界のものも、人間界のものも、その他一切の生あるものも、仏の真実を知るものはない。

仏のみが具えた、世にすぐれた徳と力のすべては、人びとの量り知るところではない。

いかにして仏はこのような徳と力を得たのか。無数の仏に仕えて教えを受け、その道法を完全に実践したからである。

五八—一〇—下 このようにして得た、言葉に尽くされぬ深遠な真実は、他のいかなる道をもってしても、発見することも、理解することも困難である。

五八—一一—中 わたしもまた、無量の年月《としつき》、もろもろの修行を積んだのち、ブッダガヤーの菩提樹下《ぼだいじゅげ》に瞑想《めいそう》し、ついにこの真実を究め尽くした。まことに大きな果報《かほう》であった。宇宙間の万物《ばんぶつ》・万象《ばんしょう》にある相《そう》・性《しょう》・体《たい》・力《りき》・作《さ》・因《いん》・縁《ねん》・果《か》・報《ほう》・本末究竟等《ほんまつくきょうとう》の法則（一三八ページ参照《さんしょう》）を、十方の諸仏と同様に知り尽くすことができた。

五九—一二—上 これらの法則は、これを見よと、明らかにさし示すことはできない。言語による表現も、また不可能である。ゆえに、仏以外のものは、とうてい理解できないであろう。ただし、仏の教えを信ずる心の特に深く堅固な菩薩衆《ぼさつしゅ》は、例外である。

五九—一三—下 もろもろの仏に仕えた弟子たちで、一切の煩悩《ぼんのう》を除き尽くし、現実世界の人間として最高の境地に達したものであっても、この真理を理解するには堪《た》えないだろう。

たとえ世間の人が皆、舎利弗のごとき賢者《けんじや》であり、それらがこぞって一心に思いめぐらしても、仏の智慧の真実を量り知ることは能《あた》うまい。

十方世界に充ち満ちている人間が、すべて舎利弗のごとく、その他のわたしの弟子たちのごとく、すぐれた智者《ちしや》であるとして、それらがこぞって一心に思い求めても、また知ることは能うまい。

五九―八―下 聡明な智慧を持ち、あらゆる迷いを除き尽くし、人間として最高の境地に達し
(63)た辟支仏《びやくしぶつ》が、竹林《ちくりん》の竹の数ほど世に充ち満ち、こぞって一心に思いを凝らし、無限の年月、仏の真実の智慧を追求したとしても、その小部分さえ知ることはできないだろう。
五九―一一―中 新しく求道の志を起こした菩薩が、無数の仏に仕え、もろもろの教えの真義に通達し、人にもよくそれを説く。このような気鋭《きえい》の菩薩が、稲のごとく、麻のごとく、竹のごとく、葦《あし》のごとく群がり、十方の国に充満し、妙智《みようち》をもって、一心に数十万年ものあいだ思索を続けたとて、仏の智慧はついに知り能わぬであろう。

六〇—二—中 すでに道を行ずること長く、その志はまさに不退転《ふたいてん》(64)、かくもすぐれた菩薩らが、ガンジス河の砂の数ほど集まり、共に一心に思い求めても、しかも知ることはできまい。

舎利弗よ。わたしは体得している、あらゆる煩悩を除く、甚深微妙《じんじんみみょう》の法を。その教えの全貌《ぜんぼう》を、わたしは知っている。十方世界の諸仏《しょぶつ》も、また同様であられよう。

六〇—五—中 舎利弗よ。まさに知れ、もろもろの仏の教えは、究極において一つであることを。ゆえに、もろもろの仏の所説に、今こそ新たなる信を奮《ふる》い起こせ。仏は久しく方便の教えを説いてきたが、それは残らず究極の真実につながる貴重な教えだったのだ。今、それを明らかにしよう。

六〇—七—中 声聞の境地を求める者よ、縁覚の境地を求める者よ、よく聞くがよい。わたしがみんなを苦の束縛《そくばく》から脱せしめ、大安心《だいあんじん》の境地を得せしめたのは、究極の真実を踏まえた、三種の方便の教えによったのである。これが仏の慈悲《じひ》の手段にほかならぬ。

六〇—九—中 何ゆえに三種の教えを説いたのか。なべて人は、執着によって苦を生ずる。

苦を抜くには、まず執着を去ることだ。その執着は、人によってそれぞれ異なる。ゆえに、異なる三種の教えを説いたのだ。

その時、聴衆の中には、いろいろな段階の声聞や、すでに煩悩を除き尽くした聖者や、阿若憍陳如《あにやきようじんによ》をはじめとするお弟子たち千二百人、そのほかに、声聞や縁覚の境地を求める出家《しゆつけ》・在家《ざいけ》の修行者たちがたくさんいましたが、その人たちが一様にこんな疑問を起こしました。

「世尊は、どうしたわけで、いま方便ということを繰り返し繰り返し賛嘆され、しかも『仏の悟られた法（真理）というものは非常に奥深くて難解なものであり、それゆえ人びとの機根に応じてさまざまな方便をもって教え導かれるのだけれども、人びとはその真意がどこにあるか気がつかない。一切の声聞や縁覚にもその真意を知ることはできない』などとおっしゃるのであろう。仏さまは、これまでに声聞・縁覚・菩薩に通ずる同一の解脱《げだつ》の道をお説きになったので、われわれもその教えによって、煩悩を除き尽くして平安の境地に至ることができたのに、今になってこのようなお言葉を聞こうとは……どうもお言葉の意味や、なぜそうおっしゃるのかというご意向が分からないのだが……」

その時舎利弗は、一同の心に生じた疑問を察し、また自分としてもはっきり分かりかねましたので、仏におたずねいたしました。

「世尊。世尊はどういうわけで、そのように繰り返し繰り返し、諸仏の最も大事な法であるとして、たいへん不思議で難解な〈方便〉というものを賛嘆なさるのでございますか。わたくしは、ずっと古くから世尊のお側にいて教えをうかがっているのですが、今までこのような説を承ったことはございません。今ここにおります一同も、やはり同じような疑問をいだいております。世尊。お願いでございますから、どうぞこれを分かりやすく教えていただきとう存じます。世尊。どうしたわけで、わたくしどもには難解で不思議にしか思えないことがらを、これほどにお賞《ほ》めたたえになるのでしょうか」

こう申し上げた舎利弗が、重ねてお願いの意を強調するために、偈を唱えて申し上げるには……、

太陽のごとく明らかな智慧の持ち主、聖者の中の聖者たる世尊。成道《じょうどう》したもうてよりすでに四十余年、今はじめてこの事をお説きになりました。

われらが思いも及ばぬ仏の徳と力を成就したもうと、自らおおせいだされまし

た。

六二―一―下 菩提樹下でお悟りになった真理に至っては、あまりにも深遠で、どうおたずねしてよいやら、その方途《ほうと》さえ分からず、だれひとり問いを発する者さえありません。わたくし自身にしましても、考え及ぶこともできません。

だれもおたずねしませんのに、世尊はご自身からその至境《しきょう》について語られ、しかも、究極の真理をさまざまに分別し、無数の人びとをお導きくださった方便の教法《きょうぼう》を、自ら賛嘆なさいました。

六二―四―上 世尊の智慧は、諸仏の得たもうた智慧と同じく、まことにはかりしれぬもの。それゆえ、迷いを除き尽くしたつもりの阿羅漢《あらかん》たちも、これから煩悩を滅して安心の境地を求めようとする者も、みな疑惑《ぎわく》の網にからまり、動きのとれぬ思いです。

六二―五―中 み仏は、何のゆえにこの法をお説きくださるのですか。ごらんください。縁覚を求める者も、比丘《びく》や比丘尼《びくに》たちも、そのほかこの世のあらゆる生あるものたちが顔を見合わせ、それでも深い疑いを決しかね、み仏をじっと仰ぎ見ております。

どういうみ心でしょうか。み仏よ。どうぞお明かしくださいませ。

み仏は、六二―八―上 多くの声聞の中で、わたくしを智慧第一とお賞めくださいます。そのわたくしの智慧をもってしても、疑い惑《まど》うばかりです。いったい自分が成就したのは、究極の真実であろうか。それとも修行の一段階に過ぎないのか――

み仏の教えの子たるわたくしは、今このように合掌《がっしょう》し、一心にみ仏を仰ぎ見ております。お願いでございます。どうぞ尊《とうと》いみ声をもって、み心の中の真実をお明かしくださいませ。

ここになみいる天上界の人びとも、鬼神たちも、仏の悟りを求める数々の菩薩たちも、多くの国々の王たちも、ことごとく恭敬《くぎょう》の心に合掌し、完全最高の教えをうかがいたいと願っております。

お釈迦《しゃか》さまは舎利弗に答えて、こうおっしゃいました。

「いや、止《や》めておこう。止めておこう。もしこのことを説けば、すべての人間も、天上界のものも、みんな驚き、疑惑に陥《おちい》り、かえって修行する勇気を失ってしまうかもしれません。止めておいたほうがいいでしょう」

けれども、舎利弗の法を求める心はますます火のように燃え盛り、どうしてもこのまま引きさがれません。それで、重ねてお願い申し上げます。

「世尊よ。どうぞお願いです。お説きになってください。どうぞ、どうぞ、お願いです。ここに集まっております一同も、みんな長い間もろもろの仏さまの教えをうかがっているもので、むずかしい教えもそれをわきまえ実践していくだけのすぐれた力を持っておりますし、とりわけ智慧がたいへんすぐれております。仏さまの教えをうかがうことができましたら、きっとそれを心から敬い信ずることでございましょう」

そして舎利弗は、重ねてこのお願いの意を強調するために、偈を唱えて申し上げました。

教えの王たる無上の世尊。願わくはお説きください。この会《え》の無量の衆は、必ずみ教えを敬い信じます。どうかご心配なさいますな。

お釈迦さまは、それでもやはり、お断りになるばかりです。

「いや、止めておいたほうがいいでしょう。舎利弗よ。もしこのことを聞けば、天上界のものも、人間界のものも、その他一切の境涯《きょうがい》のものがみんな驚き、疑惑《ぎわく》に陥ってしまうに違いありません。ましてや、もう自分はすっかり悟っているものと思い込んでいる比丘たちは、かえって地獄へ堕《お》ちてしまうかもしれません」

そして、偈を説いて、重ねておおせになりました。

止めよう。止めよう。説いてはいけない。この真実は、あまりにも微妙《びみょう》・深遠、頭で考えても、理解はできない。自分は悟っていると錯覚《さっかく》している人びとは、これを聞いても敬い信ずることは、よもあるまい。

それでも、舎利弗はあきらめません。重ねてお願いいたします。

「世尊。ただお願いですから、お説きください。幾重《いくえ》にも、お願いいたします。どうぞお説きください。今ここにおりますわたくしや、おおぜいの仲間たちは、過去《かこ》世《せ》においても仏さまにお仕えして、教化《きょうけ》を受けたものでございます。ですから、この人たちも必ずみ教えを心から敬い信ずることでございましょう。そして、その結果、これからの長い人生が安らかになり、多くの幸せを得ることでございましょう」

舎利弗は、ふたたび偈を唱えて、お願いを重ねるのでした。

無上の世尊。願わくは最高の法をお説きください。わたくしはみ仏の第一の弟子、いわば長子《ちょうし》でございます。なにとぞ、子を慈《いつく》しむみ心をもって、分かりやすく噛《か》みくだき、その究極の真実をお説きください。

この会《え》におりますむ無量の衆は、み教えをよく信じ、心から敬い信ずることでしょう。

み仏は、すでに過去世においてわれわれを、篤《とく》と教化したもうたのではございませんか。

ごらんください。みな一心に合掌し、お口から出るみ教えを、ただひたすらに待っておりまする。

わたくしども合わせて千二百人、ほかにもまだ仏の悟りを求める者はあまたおりまする。

なにとぞこの人たちのため、分かりやすく解説して、み教えをお説きください。み教えをうかがえば、みんな大歓喜するに違いありません。

その時世尊は、今度はいかにもご満足そうにうなずかれ、こうおおせになったのです。

「舎利弗よ。あなたの熱心さには驚きました。そんなに熱心に、三度も繰り返して願われては、説いてあげないわけにはゆきますまい。それでは、これからあなた方のために、よく分かるように解説しましょう。心を澄まして、確かに聞くのですよ。そして、聞いた上は、しっかり考えて自分のものにするのですよ」

〈六五―六―中〉ところが、どうしたことでしょう。このお言葉が終わりもせぬうちに、一座の中の出家・在家の修行者五千人が、にわかに座を立つと、仏さまを礼拝《らいはい》して出ていってしまったのです。どうしてこんなことをしたかと言いますと、この人たちは今までに積んだ罪業《ざいごう》が深く、また、まだ受け得ていない教えを受け得ているかのように錯覚し、まだ悟っていないことをも悟っているかのように思い込んでいるのです。心にそういう欠点があるために、その座にとどまりたくない気持が起こり、あるいはいる必要はないと考えて、立ち去ってしまったのです。

世尊は、じっとお黙りになったまま、止《と》めようともされませんでした。そして、それらの人びとが退席してしまうのを見とどけられると、あらためて舎利弗に向かっておおせられました。

「さあ今こそ、この集まりには、枝葉《えだは》のような人たちはいなくなって、真心から教えを受けようとする人、またどんな重大な教えでも受け止める力のある人ばかりになりました。舎利弗よ。あのような増上慢《ぞうじょうまん》の人たちは、この際立ち去るのも、かえってあの人たちのためにいいことでしょう。そこで、舎利弗よ。よくお聞きなさい。これから説いてあげることにしましょう」

舎利弗は、答えました。

「はい、世尊。どうか、うかがいとう存じます」

お釈迦さまは舎利弗に向かって説かれはじめます。

「これから説こうとする奥深い教えは、三千年に一度咲くと言われる優曇鉢華《うどんばつけ》と同じように、もろもろの仏にとってもごくごく希《まれ》にしか説く機会のない教えです。ですから、舎利弗よ。わたしの説くことを信ずることが何より大切です。わたしの説くことにけっして偽《いつわ》りはないからです。

舎利弗よ。もろもろの仏が、相手と、時と、場合に応じてそれぞれ適切な方法を選んで説かれる教えの、その真意はなかなか悟り難《がた》いものです。わたしが法を説く時も同様に、無数と言えるほど多くの方便を用い、あるいは過去の実例をあげたり、あるいは譬えを引いたり、あるいは適切な言葉をもって理論的に説明したり、あまりにもさまざまな方法をもって説くために、その真意は、ただ頭の上で考えたり、推量《すいりょう》したり、分析してみても、とうてい分かるものではありません。ただ、もろもろの仏だけに分かるものなのです。なぜ分かるのかと言えば、ほかでもありません。もろもろの仏は、共通の、そしてただ一つの大事な目的のために、この世に出るものであるからです。

六六—七—下 舎利弗よ。今わたしは、もろもろの仏はただ一つの大事な目的のためにこの世に出現するものであると説きましたが、その大事な目的とはいったい何でしょうか。

六六—八—下 第一に、すべての人に仏の智慧に目を開《ひら》かせ、そうすることによっておのずから清らかな心を得させようという願いのために、この世に出現するのです。

六六—一〇—中 第二に、一切衆生《いっさいしゅじょう》の仏性《ぶっしょう》の平等を知り、すべてのものごとの実相《じっそう》を見通している仏の智慧の広大無《こうだいむ》辺《へん》さを示《しめ》し、すべての人がそのような智慧によって世のものごとを見るように導きたいという願いから、諸仏はこの世に出現するのです。

六六—一一—上 第三に、そのような仏の智慧を、人びとが自らの体験によって悟るよう導くために、諸仏はこの世に出現するのです。

六六—一二—上 第四に、そのような仏の智慧を完全に成就する道へ、すべての人を導き入れるために、諸仏はこの世に出現するのです。

舎利弗よ。このように、すべての人を仏の智慧に目を『開かせ』、仏の智慧の実際を『示し』、仏の智慧を体験によって『悟らせ』、仏の智慧を成就する道に導き『入れ』たいというのが、仏がこの世に出現されるただ一つの大事な目的なのです」

六七―二―上　お釈迦さまは、そこで、言葉を強めて、こうおっしゃいました。

「結論を言いましょう。もろもろの仏は、ただひたすら菩薩だけを教化されるのです。さまざまな方法をもって説かれたのも、諸法実相《しょほうじっそう》を悟る仏の智慧を、衆生に悟らせるためです。ただこの一事のためにほかなりません。いいですか、舎利弗よ。如来は『すべての人を平等に仏の境地へ導く』というただ一つの目的のために、衆生に対して教えを説かれるのです。真実は、ほかにありません。二つの教えとか、三つの教えとか、そういう区別はないのです。

六七―五―中　舎利弗よ。あらゆる国土のあらゆる仏の教えも、やはりこれと同様です。舎利弗よ。過去に出られたもろもろの仏も、量り知れないほど多くの方便を用いられて、すなわち過去の実例をあげたり、譬えを引いたり、適切な言葉で理論的に説明したり、さまざまに苦心して衆生のためにいろいろな教えをお説きになりました。それというのも、ただ一つ、すべての人を仏の境地にまで導いてあげようという目的のためでありました。そうして、それらの仏のもとで教えを聞いた多くの人びとは、究極においてはみんな最高の智慧を得たのであります。

六七―九―上
舎利弗よ。これから後にも、多くの仏が世に出られるでしょうが、それらの仏も、量り知れないほど多くの方便を用いられて、過去の実例をあげたり、譬えを引いたり、適切な言葉で理論的に説明したり、さまざまに苦心して衆生のためにいろいろな教えを説かれることでしょう。それもやはり、すべての人を仏の境地にまで導いてあげようというただ一つの目的のためでありましょう。そうして、それらの仏に従って教えを聞く人は、究極においてみんな最高の智慧を得るに違いありません。

六七―一二―下
舎利弗よ。現在もこの宇宙のあらゆる所に無数の仏がおられて、人びとに多くの幸せを与え、平安の境地へ導いておられますが、これらの仏もまた量り知れないほど多くの方便を用いられ、過去の実例をあげたり、譬えを引いたり、適切な言葉をもって理論的に説明したり、さまざまに苦心して衆生のためにいろいろな教えを説いておられます。それもやはり、すべての人を仏の境地にまで導いてあげようというただ一つの目的のためであります。そうして、それらの仏のもとで教えを聞いている人は、究極においてみんな最高の智慧を得るのです。

舎利弗よ。これらの仏は、究極においては『菩薩の道を教えるため』にのみ法を説かれるのです。それは、仏の広大無辺な智慧を多くの人びとに示し、すべての人びとを、そのような智慧によって世の中のものごとを見るように導きたいという願いからです。また、そういう仏の智慧を、自らの体験によって身に悟らせたいという願いからです。また、そういう仏の智慧を成就する道へすべての人を導き入れようという願いからです。

六八―七―中 舎利弗よ。わたしが今この教えを説くのも、やはり同じ願いからなのです。多くの衆生に、さまざまな貪欲《とんよく》(80)や、深く心にしみついた執着のあることを知っていますから、それぞれのもちまえの性質に従って、ちょうどふさわしい説き方を選び、あるいは過去の実例をあげ、あるいは譬えを引き、あるいは適切な言葉をもって理論的に説明するというように、さまざまな方便力《ほうべんりき》を用いて教えを説くのです。

舎利弗よ。それというのも目的はただ一つ、最高の仏の智慧を得させたいという願いからなのであります。

舎利弗よ。どこの世界に行っても、究極の教えというものが二つ存在するなどということはありえません。まして、三つもあるはずがありましょうか。
舎利弗よ。もろもろの仏は、世の中が五つの原因によってさまざまに濁《にご》り、汚れに満ちた時、それを清めるために、世にお出になるものです。その五つの原因による濁り（五濁《ごじょく》）というのは、時代が古くなったためにすべてが硬化《こうか》・結滞《けったい》して起こる濁り（劫濁《こうじょく》）・人びとの煩悩がますます盛んになるために起こる濁り（煩悩濁《ぼんのうじょく》）・人びとの性質の違いが複雑になってくるための濁り（衆生濁《しゅじょうじょく》）・ものの見方がさまざまに分かれ、誤った見方がはびこるための濁り（見濁《けんじょく》）・人間の命が短くなるために起こる濁り（命濁《みょうじょく》）を言います。

六八―一二―下
舎利弗よ。このように濁り乱れた時代になりますと、人びとの煩悩が重くなり、もの惜《お》しみする心や、貪《むさぼ》り欲《ほ》しがる心や、他をねたみ憎む心が盛んになり、そのためにいろいろな悪徳が人びとの心を占領《せんりょう》していますから、一足飛びに最高の教えを説いても、とうてい理解することはできません。それで、本当は[65]一仏乗《いちぶつじょう》であるものを、諸仏は方便の力をもって、それぞれの人びとの機根に応じて三とおりに説くのです。
舎利弗よ。もしわたしの弟子の中に、自分では阿羅漢もしくは辟支仏であると思っていても、もろもろの仏が法を説かれるのは究極において菩薩の道を教えるためであることを知らないものがあったとしたら、その人は実質的にはわたしの弟子ではないことになるのです。そして、そういう人は阿羅漢でもなければ、辟支仏でもありません。

また、舎利弗よ。もし比丘・比丘尼たちの中で、自分はすでに阿羅漢の境地に達している、これが人間として最高の境地である、これが究極の平安の境地であると思い込み、そのままにとどまって、最高の仏の智慧を求める志を起こさない人があったとしたら、その人は、まだ悟っていないものを悟っていると錯覚しているうぬぼれの人と言うべきでありましょう。なぜならば、もし本当の阿羅漢であるならば、仏がこれこそ究極の教えであると説く教えを信ずるのが当然であって、それを信じないなどという道理はありえないからです。

六九—九—上 ただし、わたしが入滅《にゅうめつ》した後で、他の仏がおられない場合は、話が別です。なぜかと言えば、わたしが入滅した後で、この教えを受持《じゅじ》し、読誦《どくじゅ》し、その本意を本当に理解することはたいへんむずかしく、完全にそれのできる人はなかなかいないからです。ですから、究極の教えまで達せずに、それで満足している人があっても、その人を増上慢というのはかわいそうです。そんな人たちも、もしほかの仏に遇《あ》う機会に恵まれたならば、その仏からこの最高の教えを聞いて、本当の悟りを開くことができることでしょう。

舎利弗よ。あなた方は、わたしがいま説いたことを心から信じ、理解し、よく胸に刻んでおくのですよ。いいですか。仏の言葉には偽りはありません。仏の教えには、究極においては二つや三つあるのではなく、ただ一つの教えだけしかないのですよ」

そうおおせられた世尊は、重ねてその意味をお教えになるために、次のような偈をお説きになりました。

まだ悟りえないのに、悟りえたと錯覚している者。我《が》の強い、慢心《まんしん》の者。仏の言葉をしんそこから信じられぬ者。それらの人びと五千人。おのれの過《あやま》ちを自覚せず、それゆえ戒律《かいりつ》を守るにも欠陥があり、内心の傷を明るみへ出したがらぬ、そのような智慧の足りぬ人びとは、いま出て行った。みんなの中で、悟りきれない人たちだった。仏の境地があまりにも高く、その教えに堪えることができず、去って行った。

あの人たちは、過去に積んだ徳が少ないゆえに、この最高の教えを受ける力が足りないのだ。今ここに残ったみんなは、そのような弱々しい者ではない。あくまで仏道《ぶつどう》を求めようとする真心と、それに堪えうる実力の持ち主だ。

舎利弗よ。よく聞くがよい。

諸仏は、その悟られた最高の真理を、量り知れぬほどの方便力をもって、さまざまな形で衆生のために説かれるのだ。

七〇―八―下 衆生の心に思うことの相違、なす行為のさまざまな相違、欲望や性質の相違、過去に積んだ業の善悪の相違、仏はそれらをすべて見通し、それぞれの人にふさわしい方法により、教えを説かれるのだ。

七〇―一〇―上 あるいは過去の実例をあげ、あるいは適切な譬えを引き、あるいは正確な語句で理論的に説明するなど、さまざまな手段で教えを説き、それぞれの人に、それぞれ教えを聞く喜びを与えられるのだ。

七〇―一一―上 もろもろの仏は、あるいは教義を説き、あるいは偈を説き、あるいは(66)本事《ほんじ》の物語を説き、あるいは(66)本生《ほんじょう》の物語を説き、あるいは神秘的な物語を説き、あるいは過去の実例にことよせて説き、あるいは譬えを引いて説き、あるいは説法の意を強調するために重ねて偈を説き、あるいは教えの内容を分析して論議《ろんぎ》・解《かい》説《せつ》するなど、さまざまな方法をもって説法されるのだ。

七〇―一二―中
機根が低いため、程度の低い教えしか求めることを知らないために、どうしても人生の変化にとらわれる気持をぬぐいきれず、多くの仏の教えを聞いても、その奥深い道を行ずることができず、もろもろの苦しみに悩まされている人びとに対しては、現象にとらわれる心を捨てることによって心の平安を得るように、諸仏は導かれた。わたしもまた、そのような方法で、すべての人を仏の智慧の入り口まで導いてあげた。

七一―一三―上
しかし、わたしは、いまだかつて「人間だれでも仏の智慧を成就できる」と説いたことはない。なぜならば、説くべき時機が至っていなかったからだ。

今や、その時がきた。まさしくその時だ。さればこそ、深く決意し、この最高の教えを説く。

わたしは、さきにあげた(67)九種《きゆうしゆ》の教《おし》えを、人びとの機根に応じて説き分けた。なぜか。ほかでもない。それがこの大乗《だいじよう》の教えに入る手がかりになるからであった。

七一—六—下 それらの説法を聞く人の中には、心が清く、真理を受け入れるのに素直であり、透徹《とうてつ》した智慧を持ち、多くの仏の教えを聞いても、その深妙《じんみょう》の急所をよくとらえ、心から実践している人びとがある。

そのような人びとのために、今この最高の教えを説く。どんな教えか。ほかでもない。そのような人こそ、将来かならず仏の悟りを得るであろうと、わたしが保証するのだ。

七一—九—上 そのような人びとは、常に心の奥深く仏を念じて忘れることなく、仏の戒めを守り、忠実に実践している、真の意味の仏子《ぶつし》である。ゆえに、未来において仏になりうると聞いては、言い知れぬ大歓喜が身に充ち満ちるのを覚えるだろう。その心中を洞察《どうさつ》すればこそ、わたしはこの最勝《さいしょう》・最高の教えを説くのだ。

声聞にせよ、縁覚にせよ、菩薩にせよ、わたしのこの教えの一偈でも聞き、よく実践したならば、みな仏となれること、まさに疑いない。

(68)七一—一二—中 尽十方のこの宇宙に、真実の教えは一つしかない。二つも、三つも、あるわけがない。

ただし、仏の方便の教えは別である。なぜならば、方便の教えは、さまざまな言葉や物語によって、ただ暫定的《ざんていてき》に人を導くように見えるが、つまるところはやはり、真実の目的たる仏の智慧を説くための手段にほかならぬからである。もろもろの仏は、何ゆえに世にいでたもうのか。ただ一事のためのみである。すべての人を仏の智慧にまで導くという、一つの真実の目的のためである。ほかのすべては、最終的な目的ではない。

ゆえに、(8)小乗《しょうじょう》の教えによって衆生を救われるのは、最終的な救いではないのだ。

わたしも自ら、一切衆生を救って仏の境地へ導こうと、大乗の教えを行じている。わたしが体得した悟りには、禅定《ぜんじょう》・智慧その他の美しい徳が完全に具わっていて、それによって人びとを最終の救いへと導くのである。

七二―五―中 自分自身が「すべての人は仏になりうる」という最高の真実を悟っていながら、もしただ一人に対してでも小乗の教えしか説かないならば、わたしは法惜しみの罪に落ちよう。

そのような法惜しみは、絶対によくない。もし人がわたしを心から信じ、帰依《きえ》するならば、その人をいい加減なところで止《と》めておくようなことは、わたしはけっしてしない。

また人を最高の境地へ導くのに、何らかの報いを求める気持などあるはずがなく、他の人が仏の境地に達するのをねたむ心など、微塵《みじん》もあるはずがない。

七二―八―上 仏は一切の悪を断じているのだ。ゆえに、どんな場所にいようとも、おそればかるものは何もない。仏は(69)三十二相《さんじゅうにそう》を身に具え、徳の光明《こうみょう》によって世間を照らすものである。無数の人に崇《あが》められ、それらの人に諸法実相の教えを説くのである。


舎利弗よ。知っておくがよい。わたしが仏の悟りを成就した時、一切の人間をわたしと同じ仏の悟りへ導きたいと、誓願《せいがん》を立てた。

今ここに最高の真理を説いて、それを果たすことができる。わたしは一切の人を教化して、仏の悟りへ導き入れる。教えを聞くすべての人に、仏の悟りへの道を説く。

七三―一―下 とはいえ、最高の真理をそのまま説けば、無智の人は混乱し、思い惑《まど》い、まっすぐ受け入れることができない。

その理由は、わたしにはよく分かる。過去に善行《ぜんこう》を行わず、(60)五官《ごかん》の欲望に執着し、痴《おろ》かな愛欲《あいよく》にとらわれ、さまざまな悩みにのたうってきたからだ。さまざまな欲望への執着から、地獄道《じごくどう》・餓鬼道《がきどう》・畜生道《ちくしょうどう》に堕ち、死に変わり、生き変わり、六道《ろくどう》をグルグル回るばかりで、常に苦しみに身を焼くのだ。

人間は、生まれ変わる時、目に見えぬ姿で胎内《たいない》に入るが、いま言ったような人びとは、前世《ぜんせ》の悪い業《ごう》を負って胎内に入り、生まれては苦の人生を送り、生まれ変わるごとに悪業《あくごう》は増すばかりで、常に徳薄《うす》く、幸《さち》少ない人として、もろもろの苦に責められるのだ。

世には邪《よこしま》な思想が、ジャングルのようにはびこっている。ある思想は、物質を有ると見る。ある思想は、物質を無しと見る。人びとは、それぞれ違った主義・思想に依存しているが、その種類は六十二もあるのだ。

七三―六―下

大方の人は、これら、議論のための虚《むな》しい議論や、偏向《へんこう》した考えに深くとらわれ、堅く信じこみ、それを捨て去ることができない。自分の考えこそ正しいと慢心《まんしん》し、誇り、高ぶり、あるいはへつらいやこじつけに巧みで、まごころというものを見失っている。

このような人たちは、未来永劫《みらいえいごう》、仏がそこにいても仏が見えず、正しい教えを聞くことができないのだ。まことに救い難い人たちだ。

七三—九—中 ゆえにこそ、舎利弗よ。わたしはそれらの人を救うため、まず手はじめの手段として、人生苦を消滅《しょうめつ》する道を説き、現象の変化から超越《ちょうえつ》するところに心の平安があることを示した。

七三—一〇—中 いちおうはそのような境地を説き教えたが、それは究極の涅槃《ねはん》ではない。この大宇宙の実相を見れば、万物・万象は常に大調和《だいちょうわ》の相《すがた》をとっている。これが究極の涅槃の相《すがた》だ。

仏の子たる真の修行者は、この実相を悟らねばならぬ。その悟りにもとづく修行を完成せねばならぬ。かくしてこそ、仏と成ることができるのだ。

七三—一二—中 わたしは、正しい手段として、ただ一つの真実を、三種の教えに開いて示した。もろもろの仏の、さまざまな教えも、つまるところはただ一つの真実に帰するのだ。

七四—一—下 諸人よ。心にある疑惑を捨てるがよい。すべての仏の説く言葉の真実の精神は、すべて同じであって違いはない。真実はただ一つ、けっして二つはないのだ。限りない過去の世にいでたまい、去り行かれた仏の数は無量であるが、それらの仏も、あるいは実例を引き、あるいは譬諭《ひゆ》を用い、さまざまな手段によって事物《じぶつ》の道理を説かれた。しかも、究極においてはただ一つの真実を説き、無数の人を教化して、仏道へ導き入れられた。

七四—六—中 もろもろの仏は、一切世間の人間はもとより、天上界の人や、その他のあらゆる生あるものが心の奥深くにもっている欲望を知り尽くし、それぞれにふさわしい異なった手段をもって、真実の道を現す助けとされた。

七四—八—上 長い過去世に、もろもろの仏に遇いたてまつり、その教えを聞き、教えに随順《ずいじゅん》して、布施《ふせ》・持戒《じかい》・忍辱《にんにく》・精進《しょうじん》・禅定《ぜんじょう》・智慧《ちえ》の六つの菩薩行を実践し、人を幸せに導く徳行《とっこう》を積んだ人びとは、残らず仏道を成就した。

諸仏が滅度された後でも、心が善く、柔らかで、仏の教えを素直に信じた人びとは、皆すでに仏道を成就した。七四—一一—下 仏の入滅に遇い、仏舎利《ぶっしゃり》供養のため塔を建てた人びとがある。

あるいは、金《きん》・銀《ぎん》・水晶《すいしょう》・硨磲《しゃこ》・碼碯《めのう》・玫瑰《まいえ》・瑠璃《るり》などで、宏壮《こうそう》の塔を清らかに飾った。

あるいは石を築き、あるいは栴檀《せんだん》・沈香《じんこう》・木樒《もくみつ》の香り高い木材を用い、あるいは煉瓦《れんが》を積み、粘土《ねんど》を塗り、さまざまな仏塔《ぶっとう》を厳《おごそ》かに造りなした。あるいは広野《こうや》の中に土を積んで、仏廟《ぶつみよう》とした。あるいは子どもが、戯《たわむ》れに砂を集めて仏塔の形を造った。

これらの人びとは皆、それを契機《けいき》に仏道に入り、功徳《くどく》を積み、ついには仏の悟りを得た。

仏を慕う心から、さまざまな仏像を彫《ほ》り、仏の三十二相を現した人。あるいは七宝《しっぽう》をもって、あるいは真鍮《しんちゅう》・赤銅《しゃくどう》・白銅《びゃくどう》・白鑞《びゃくろう》・鉛《なまり》・錫《すず》・鉄《てつ》、あるいは木・粘土、あるいは漆喰《しっくい》をもって、厳かにも美しい仏像を造立《ぞうりゅう》した人。仏の像を絵《え》に描《えが》き、百福《ひゃくふく》満ちたその相を具現した人。他に命じてそれを描かせた人。

遊びがてらに筆を執り、あるいは木の小枝で土の上に、あるいは指の爪で砂の上に、仏の姿らしいものを描いた子どもたち。

それらの人びとは、その行為を契機として仏道に入り、だんだんに功徳を積み、すべての人びとの苦しみを除いてあげたいという広大な心を具えるようになり、ついに仏の悟りを得た。そして、ただ菩薩たちを教化することにより、それを通じて無数の大衆を救った。

ある人は、仏塔や仏廟に、仏の影像《ちょうぞう》や画像に、花や香を供え、旗や天蓋《てんがい》をささげ、一心に敬い、供養した。

ある人は、音楽を奏せしめて、供養した。鼓《つづみ》をうち、角笛《つのぶえ》・ほら貝を吹き、簫《しょう》・笛《ふえ》・琴《こと》・竪琴《たてごと》・琵琶《びわ》・鐃鈸《にょうばち》・銅鈸《どうばち》の美しい音によって、仏に感謝の真心をささげた。

ある人は、法悦《ほうえつ》にときめく心で、仏の徳をたたえる歌を、声高く歌った。

七六—三—下　ある人は、くぐもった声で、ただ一言《ひとこと》、仏さまは有難いと言った。

それらの行いの一つひとつに成仏の契機があり、それらの人びとは次第に仏道を修行し、功徳を積み、ついには仏の悟りを得た。

七六—四—中　ある人は、半《なか》ば上《うわ》の空ではあったが、花一輪を仏像にささげ、礼拝した。それが縁となり、仏の教えに心が向くようになった。ある人は、仏の像を、うやうやしく礼拝した。ある人は、ただ合掌した。ある人は、片手拝みに拝んだ。ある人は、ほんの少し頭を下げた。それが縁となって、次第に仏の教えに心が向き、ついには自らも仏の悟りに達し、広く無数の人を救った。そしてめでたく天寿《てんじゅ》を全うし、あたかも薪《たきぎ》が尽きて火が消えるように、大往生《だいおうじょう》を遂げた。

ある人は、落ち着かぬそぞろ心で塔廟《とうみょう》に入り、ただ一言「南無仏《なむぶつ》」と称《とな》えた。それが縁となって仏道に入り、次第に功徳を積み、ついには仏の悟りに達した。

もろもろの過去の仏の在世《ざいせ》の時、あるいは滅度《めつど》の後、今わたしが説いたような教えを聞いた人は、皆すでに仏の悟りを得た。

未来の世にも、無数の仏が出現されよう。無数の手段を用い、多くの人びとを救って解脱させ、一切の迷いを除いた仏の智慧にまで導かれるだろう。もしその教えを聞きえた人は、一人として成仏しないものはあるまい。

七七—三—上 およそ仏の根本《こんぽん》の願いは、わたしがたどってきた仏への道を、広くすべての人びとに、わたしと同じように達成させること、ただその一事。

未来世に出られる諸仏も、いかに無数の教えを説かれようと、すべてはただ一つの目的のため、あらゆる人を仏の悟りへ導くためだ。

七七—五—下 仏という仏は知っている。宇宙の万物・万象は永続的・固定的な実体ではなく、その本質においては平等であり、大調和していることを。生きとし生けるものはすべて仏性をもっているのであるから、仏になるということも縁起によるものであることを。

それを知ればこそ、すべての人を仏の悟りへ導くために、ただその一事のために、教えを説くのだ。この教えは真如そのものだから、世間の相《すがた》もこの教えにもとづいて展開する限り常住なのだ。

七七―七―下 仏の悟りとは、この真実を悟りきること。菩提樹下においてそれを悟って仏となったわたしは、導師《どうし》としてすべての人びとにもこの真実を悟らせようと、無数の方便を用いて無数の教えを説く。

この大宇宙には、世界が無数にあるが、その十方世界には、天上界・人間界の人びとに崇《あが》められ、供養される仏が、ガンジス河の砂の数ほどおられる。

それらの仏が世間に出現されると、すべての人を安穏《あんのん》の境地に導くため、やはりこの真理を説かれるのだ。

(70)七七―一〇―中 第一義の空、諸法実相を悟りきられた仏は、方便力をもってさまざまな教えを説かれようとも、つまるところはすべての人を、諸法実相という仏の悟りへ導こうとされるのだ。

七七—一一—下 もろもろの仏は、すべての人の行為も、心の奥に潜む思いも、過去になした修行も、欲望も、性質も、精進力ほか(71)諸根《しょこん》の程度も、残らず知り尽くしておられるゆえに、あるいは実例をあげ、あるいは譬えを引き、あるいは正確な言辞《ごんじ》で理論的に説明するなど、それぞれの人にふさわしい方法をもって、教えを説かれるのだ。

今のわたしも、そのとおりだ。多くの人を安らかな、平和な境地に導くため、さまざまな教えを用いて、仏道を宣《の》べ示そうとしている。

多くの人の性質・欲望を知り分け、それに応じて教えを説き分け、すべての人に法を聞く喜びを与えるのだ。

七八—四—中 舎利弗よ。よく聞くがよい。わたしが仏の眼《まなこ》をもって、六道にさまよう衆生を観《かん》ずれば、心貧しく、福徳《ふくとく》薄く、智慧に乏しいゆえに、変化の絶えぬ人生の険《けん》道《どう》にあえぎ、苦しみから苦しみへとたどり続けている。

人びとが五官の欲に執着しているありさまは、ヤク牛が自らの尾を甚《はなは》だ愛《いと》しむのに似る。ヤク牛はひたすら尾を誇り、尾を守るのだが、その美しい尾を好んで旗飾《はたかざ》りにする人間たちに捕らえられ、その尾のゆえに殺されるのだ。

人びともヤク牛と変わりはない。五官の欲を愛し、貪るがゆえに、自らの智慧を自ら蔽《おお》っているために、目がくらんで真実が見えない。したがって、偉大な救済力《きゅうさいりょく》を持つ仏を求めようともせず、苦を絶つ教えを探ろうともしない。邪なものの見方にとらわれ、苦を除くためにかえって苦を招く行いを重ねる。わたしはこれらの衆生を見、その苦を救わずにはいられなくなった。

七八―九―中 初め、わたしが菩提樹の下で、仏の悟りを成じた時、七日の間はそのままに坐し、静かに悟りを味わっていた。

七八―九―下 やがてその座から立ち、東の方へ十数歩の間を、七日の間(72)経行《きょうぎょう》した。その経行道の東端《とうたん》から、じっと菩提樹を見守ったまま、また七日の間瞑想を続けた。このようにして、三七二十一日《さんしちにじゅういちにち》の間、正覚《しょうがく》の地にとどまっていたが、その時わたしは、重大なことを思惟《しい》していた。

七八―一〇―中 「今ここで悟り得た智慧は、この世における最高の真理。究極の真実。とうてい言葉に表現できるものではない。しかも世の人びとは機根が低く、快楽《かいらく》に執着し、見境《みさかい》さえなくなっている。この人びとに、この真実をどう説けば、よく理解し、救われ、解脱してくれるだろうか」と。

その時、もろもろの梵天《ぼんでん》の王や、四天王《してんのう》・大自在天《だいじざいてん》など多くの神々が、その眷属《けんぞく》を引き連れて現れ、合掌して礼拝し、衆生に法を説きたまえと請うた。

七九—二—中 わたしは黙して答えず、心に思った。

「もしわたしが、仏の悟りそのものを賛嘆し、力説したならば、苦しみの泥中《でいちゅう》に沈みこんでいる多くの人びとは、わたしの所説を信ずることは不可能だろう。それらの人に強いて説けば、教えを破る罪を犯させることになり、現在よりもっと悪い状態に陥るだろう。むしろ、この教えを説かぬほうが、安心の境地に達しやすいのではなかろうか」と。

七九—五—上 その時、わたしは、過去の仏の示された方便力に考え及んだ。そして、ついに重大な決意に立ち至った。

「よろしい。いま悟り得た仏の道も、かつてのもろもろの仏と同じく、これを三つの道に分けて説くことにしよう」と。

わたしがこう決意した時、十方の仏が一時に現れたまい、清らかなみ声でわたしをねぎらわれた。

七九—七—上 「善い哉。釈迦《しゃか》牟尼《むに》仏《ぶつ》。世間第一の導師よ。あなたは最高無上の法を体得された。しかもその法を、諸仏と同じ方法で説こうとされる。

われわれもまた、みな最高第一の法を体得したが、もろもろの衆生のために分別し、三とおりの教えに分けて説く。

真の智慧に乏しい人びとは、それに応じた低い教えを望み、仏の悟りを得られるなどは、思いもせず、信じもしない。ゆえに、われわれは巧みに分別し、声聞の悟り・縁覚の悟り・菩薩の悟りを説く。

しかし、三とおりに説き分けても、ついには菩薩の道を教え、仏の悟りへ導くのが最終の目的。あなたの決意と変わりはない」


七九―一―一―下 舎利弗よ。よく聞くがよい。十方の諸仏の、えもいわれぬ清らかなみ声を聞き、わたしは歓喜に満ちて、「南無仏」と称えた。そして思い定めた。

「わたしが濁り汚れたこの世に生まれたのは、この悪世《あくせ》を救う使命があればこそであろう。よろしい、諸仏の言われるとおり、方便力をもって衆生を救おう」と。

決意したわたしは、ただちにベナレスにおもむき、かつて苦行《くぎょう》を共にした五人の比丘を、まず教化しようと試みた。

八〇―二―下 仏の悟り、諸法の実相は、言辞に表現すべくもない。そこへ達する正しい道程、正しい手段として、わたしは五人の比丘に、四諦《したい》(73)・八正道《はっしょうどう》(74)・中道《ちゅうどう》の教えを説いた。これを(75)初転法輪《しょてんぽうりん》と言う。

八〇―四―中 その時、初めて涅槃に至る教えを説いた。五人の比丘は、悟りを開いて阿羅漢となった。おのずとそこに、仏道修行者の集団＝僧伽《そうぎゃ》が生じた。わたしを含めて、六人の僧伽が。

仏《ほとけ》と、法と、僧と、この三者の区別が初めて生じ、三つの名称が初めて生まれた。

八〇―五―上 それからこのかた、長い年月、わたしは説いた。「現象にとらわれる心を捨てよ。これこそ、人生の変化によって生ずる苦悩を、永遠に消滅せしめる道である」と。

舎利弗よ。よく聞くがよい。今わたしが教え子たちの様子を見るに、仏道を志す人は無数にあり、心うやうやしく、わたしのもとに集まっている。この人たちは、過去世にもろもろの仏に仕え、諸仏が方便をもって説かれたさまざまな教えを聞いた人びと。豊かな聞法《もんぽう》の体験者。それゆえ、わたしは考えた。

「わたしがこの世に出た究極の理由は、仏の智慧を説くためにほかならぬ。今こそ、それを説く時機。まさしく、その時である」と。

八〇―一〇―上 舎利弗よ。承知しておくがよい。機根が鈍く、智慧が浅い人や、現象の相《すがた》にとらわれながら、自らの考えを正しいとうぬぼれている人。それらは、わたしの所説を信ずることはできない。

八〇―一一―上 しかし、わたしは説く。今のわたしは、至高の真実を説く喜びこそあれ、何の気づかいも、ためらいもない。もろもろの菩薩を前に、ひたすら正しく、ただまっすぐに、方便を捨て、仏の悟りの真実のままである無上の道を説く。菩薩たちがこの法を聞けば、疑惑の網はバラリと解け、千二百の阿羅漢も、ことごとく仏の悟りに達するだろう。

過去・現在・未来の諸仏と同じく、わたしも今、この法を説く。常識の判断をはるかに超えた、真智《しんち》にもとづく法を説く。

八一―一二―中 もろもろの仏の世にいでたもうは、まことに希な出来事。仏に遇いたてまつるのは、まことに難《かた》いことである。たとえ仏がいでられても、この真実・至上の教えを説かれることは、さらにも難い一大事である。

ゆえに、無量の時が経ち、無限の年が流れても、この法を聞くことは、まことに希有《けう》と言わねばならぬ。さらに希有なのは、この法を聞くに堪える人の存在である。

優《う》曇華《どんげ》という花は、世の人すべてが愛し、天・人ともに咲くのを待ちかねている花。三千年に一度咲くという、この世ならぬ美しい花。この教えは、その優曇華に譬えられよう。

八一―六―中 ゆえに、知るがよい。この教えを聞いて心に歓喜を覚え、ただ一言でもそれを賛嘆するならば、賛嘆そのことが、過去・現在・未来の諸仏を供養することになるのだ。

もし、そのような人があったら、その人は、優曇華にもまさる希有の存在だ。

諸人《もろびと》よ。ゆめゆめ疑ってはならない。わたしは、すべての教えの王、すべての教えを知り尽くしている。そして今こそ宣言する。

八一―九―中「わたしは、これから、ただ一つの教えをもって、菩薩のみを教化する。わたしには、もはや声聞の弟子はない」と。

舎利弗よ。すべての声聞よ。菩薩たちよ。この甚深微妙の教えは、もろもろの仏の秘《ひ》要《よう》であり、めったに明かすものではない。その教えを、今こそみんなのために説くのだ。

(76)五濁《じょく》の悪世《あくせ》の人びとは、欲望のみに執着し、ついに仏道を求めない。未来の世にも、無智の者は、「すべての人を仏の悟りに導く」と聞いても、その意を理解せず、信ずることもないだろう。あるいは教えに反抗し、最大の不幸に陥る者もあろう。

八二—一—下もし、それら諸人の中に、心すなおに、自らの無智を悔《く》い、仏道を求める志を起こす者があったなら、その人にこそ、この最高の教えを賞めたたえ、教えに入ることを勧めよ。

舎利弗よ。知るがよい。もろもろの仏の教説は、このように、無数の方便を用い、それぞれの人にふさわしい、適切な道によって真理を説かれるのだ。

そのことを知らない人は、仏の所説の真意を悟ることができない。しかし、今ここにいる一同は、それを知った。もろもろの仏や、娑婆《しゃば》世《せ》間《けん》の導師たるわたしが、時と場合と相手によって、適切に説いた教えである方便というものの真意を知った。

諸人よ。今こそ疑惑を捨てよ。自らも仏になりうると知って、心に大歓喜を生ぜよ。

火の家からの救出（譬喩品《ひゆほん》第三）

そのとき舎利弗《しゃりほつ》は、躍《おど》り出したいほどの喜びを満面に現しながら、すぐさま立ち上がり、仏さまのお顔を仰ぎ見つつ合掌し、こう申し上げました。

「仏さま。有難うございます。いま仏さまから親しくこのようなお言葉をうかがいまして、本当にうれしゅうございます。今までこんな大きな喜びを味わったことはございません。

なぜかと申しますと、わたくしはずっと以前から仏さまのお側に仕え、仏さまから『だれでも修行を積んでいけば仏になれる』という教えをうかがったことがございます。

また、多くの菩薩《ぼさつ》たちが、仏になれるという保証をいただいたり、実際に仏の悟《さと》りを成就《じようじゆ》されたのを、目のあたり拝見いたしました。それなのに、わたくしども声《しよう》聞《もん》・縁覚《えんがく》には、いっこうにそういうことがございません。わたくしは、こうして長いあいだ修行に修行を重ねていっても、ついに仏さまのような無量《むりょう》の智慧《ちえ》を得ることはないのであろうかと、たいへん悲しく存じておりました。

世尊《せそん》。わたくしは、ただひとり林の中の木の下に坐ったり、歩き回ったりしながら、いつもこんなことを考えておりました。『自分たちも、あの菩薩たちと同じように仏さまの教えをうかがって、涅槃《ねはん》の境地に入ることができたのに、どうして仏さまは、自分たちには小乗《しょうじょう》の教えばかりをお説きになって、それで救ってくださろうとされるのか』と。

八三―八―下　これは、申すまでもなく、わたくしの至らぬせいでございまして、少しも世尊の責任ではございません。なぜならば、わたくしどもにしましても、だんだんと教えをうかがっているうちには、仏の悟りを成就する大事な因《もと》となる教えを説いていただけるのは必然で、それを心静かにお待ちしておれば、いつかは必ず大乗《だいじょう》の教えによって救っていただけたはずだからです。

ところが、わたくしは、人と時と場合に応じてそれにふさわしい説き方をなさいました『方便《ほうべん》の教え』の真意を悟ることができず、初めて仏さまの説法《せっぽう》をうかがった時の教えをそのまま抱《だ》きかかえ、いろいろと考えを深め、そして、確かに悟りを得ることができました。いや、悟りを得たと思い込んでおりました。それなのに、多くの菩薩たちが成仏《じょうぶつ》の保証をいただくのを見ては、どうしたことであろう、自分はだめなのではないか、つまらない人間なのかと、日夜おのれを責め続けてきたのでございます。

ところが、いま仏さまから、これまでにうかがったことのない素晴らしい教えをうかがうことができまして、すべての疑いも、くやしい気持も、すっかりなくなってしまいました。今は、心も、からだも、ゆったりとして、何とも言えない安らかな気持でございます。

八四―四―上
きょう初めて分かりました。自分は本当に仏さまの子である、仏さまのお口から生まれ、仏さまの教化《きょうけ》によって生まれ変わり、仏法《ぶっぽう》という無限の財産を分けていただいているのだ……ということが、はっきり分かりました」

そして舎利弗は、いま申し上げたことを重ねて申し上げようと、偈《げ》を作って朗唱するのでした。

いま無上の教えをこの耳に聞き、かつて経験したことのない感激を、総身《そうみ》に覚えておりまする。心は歓喜に充ち満ち、わだかまっていた疑惑《ぎわく》の網も、あとかたもなく消え失せました。長い年月《としつき》み教えを受けてきた甲斐《かい》あって、今こそ至《し》高《こう》の真理がわがものとなりました。

み仏のみ教えは、まことこの世にたぐいなく、なべて衆生《しゅじょう》の苦悩《くのう》をば、除き尽くしてくださいます。

八四―八―中
世の常の迷いはすでに滅しても、法において至らぬ悩みをば懐《いだ》き続けたこの身、今その悩みまで、残らず滅することができました。

わたくしはこれまで、あるいは山の谷間に、あるいは林の木の下に、ひとり坐《ざ》している時も、そぞろ歩きしつつ思いをめぐらしている時も、常にこんなことを考え、嘆き、悲しみ、自らを深く責めました。

「ああ、自分は自分自身を欺《あざむ》いているのではないか。それとも、錯覚に陥《おちい》っているのか。まだ悟りを得てもいないのに、あたかも悟りに達したかのように。

八四―一一―上
自分ら声聞も、あの菩薩たちと同様、仏さまのお弟子であり、同じく迷いを除く教えを受けながら、未来において無上の仏道を説き広める力など、得られそうにもない。仏さまの金色《こんじき》の身も、三十二の尊い吉相《きっそう》も、十種もあられるという素晴らしい力も、あらゆる迷いからの解脱《げだつ》も、すべて同じ教えの中にあるはずなのに、自分らはそれを得ることができそうにない。(69)八十種の美しい福相《ふくそう》、十八種もあられるというすぐれた特質、そうした功徳《くどく》も得られそうにない。とすれば、悟りえたかのように思っているのは、やはり自己欺瞞《じこぎまん》か錯覚ではないか」と。

八五―二―中 また、ただ一人、林中《りんちゅう》を歩きつつ思索している時、仏さまが多くの大衆の中にましまして、み名は十方に聞こえ、広く無数の衆生に幸せを与えておられるのを、よそながら拝しては、「あんな素晴らしい境地など、自分に成就できるはずがない。悟りを得たなどと考えていたのは、やはり、思い過ごしだったのだ。あるいは自分をごまかしていたのだ」と、こんなことを考えたこともありました。

八五―四―上 昼も夜も、いつもこのことが心から離れず、いつかは世尊に、「いったい、わたくしは、最高至上の悟りにはついぞ無縁《むえん》の者でしょうか。あるいは、まだそれに手が届く所にいるのでしょうか」と、おたずねしたいものだ、と存じておりました。

世尊のご様子を拝しておりますと、いつももろもろの菩薩たちばかりをお賞《ほ》めになりますので、ついそのようなことを、日夜あれこれと思い悩んでいたのでございます。

今こそ、その悩みは消え失せました。仏さまが、人と、時と、場合に応じて、それぞれにふさわしい教えを説き分けられた、そのご真意がよく分かりました。

八五―八―上 まことに涅槃の境地とは、考え及び難い、深遠《しんえん》なもの。しかも仏さまは、すべての衆生をその境地へ導こうとなさっておられます。そのことが、今こそはっきりと分かりました。

わたくしは、もと、邪見《じゃけん》にとらわれ、多くのバラモン教信者の師となっておりました。翻然《ほんぜん》としてその立場を捨て、世尊のお弟子となりました時、世尊はわたくしの心中を見通され、まちがった考えを抜き去って涅槃の道をお説きくださいました。

わたくしは、邪見をことごとく払い捨て、空の悟りを得ました。その時、わたくしは心の中に、これで完全な解脱を得たものと考えたのでございます。
八五―一一―下 ところが、今はじめて、それが真の解脱でなかったことが分かりました。もし仏となることができたら、その時は、三十二の吉相を身に具《そな》え、人間ばかりか、この世のあらゆる生あるものの尊敬《そんけい》を一身に集める身となるでしょう。そうなった時こそ、完全な解脱に達したと言いうるのです。そのことが、今はっきり分かりました。

世尊は、さきほど、大衆を前にして、わたくしも仏の悟りを成就するであろうと、お説きになりました。そのお言葉をうかがって、今まで心にわだかまっていた疑いも、くやしい気持も、すっかり消え去ってしまいました。

八六―三―中 きょうのお説法の冒頭《ぼうとう》に、「仏の悟りというものは、仏でなければ分からぬものだ。お前たちには、とうてい分かりはしない」とおおせになりました。そのお言葉をうかがって、心中おおいに驚きました。実は、その時、魔ものが仏さまの姿となって、自分の心を悩ますのではないかとさえ、疑いました。

八六―四―下 しかし、だんだんにお話をうかがって、仏さまがこれまでに、過去の実例にことよせたり、適切な譬《たと》えを引いたり、巧《たく》みにさまざまな方便を用いて、教えをお説きくださった時も、それが真実につながっているゆえに、常に大海のような安らかなみ心で、お説きになったのだということが、はっきり分かってまいりましたので、わたくしの疑いも、氷解《ひょうかい》したのでございます。
世尊は、「過去世《かこせ》のみ仏たちも、方便は真実につながるという確信があってこそ、方便の教えを説かれたのだ」と、おおせられました。また、「現在および未来世《みらいせ》の、多くのみ仏たちも、方便をもって真実をお説きになるのだ」と、おおせられました。

八六―八―下　そしてまた、世尊ご自身がお生まれになってから、出家してさまざまな修行をなさり、仏の悟りを成就なさるまでの次第と、教えをどのようにお説きになったかを、お話しくださいましたが、世尊もまたこの尊い方便を用いられ、最高の真実への道をお説きになったのです。

八六―一〇―中　世尊は、レベルの低いと見える教えをお説きになった時も、究極において仏の悟りにつながる、真実の道を説かれていたのです。魔ものたちの説く教えに、そのようなことはありえません。魔ものが仏さまの姿となって……などと考えたのは、自分が作った疑念の網に、自分が引っかかったのでありました。
仏さまが、何人《なんぴと》にも抵抗なく受け入れられる、柔軟自在《じゅうなんじざい》の説き方で、しかも意義は深遠、言葉に尽くしえぬ至高の境地、純粋無垢《じゅんすいむく》の真実の道をお説きくださるのをうかがい、心は大いなる喜びに満ち、疑いも、悔やみも、永久に消え去りました。

今わたくしは、真実の智慧の中にいるという、抜きさしならぬ実感を覚えております。

八七―二―上 いつの日か、必ず仏の悟りを成就し、すべての生あるものに恭敬《くぎょう》される身となり、無上の教えを限りなく説いて、多くの菩薩を教化するでありましょう。

舎利弗がこの偈を唱え終わりますと、世尊は次のようにお告げになりました。

「わたしは今、天上界のもの・人間界のもの・沙門《しゃもん》(84)・婆羅門《ばらもん》など多くの人びとの前で、はっきり宣言します。

舎利弗よ。はるかな過去世からこのかた、多くの仏のもとにおいて、わたしは常にあなたを仏の悟りへ導くために教化してきました。あなたは、長い間わたしに従って学んできました。前世においてもわたしは、初めから真実をうち明けて説かず、方便によってだんだんに機根《きこん》を引き上げ、そうして最上の教えに導き入れたのでありました。舎利弗よ。そういう前世の因縁《いんねん》によって、あなたは、この世においてもわたしの教えによって生きるように運命づけられているのです。

八七―七―中
舎利弗よ。わたしは、前世において、あなたに最高の悟りすなわち仏の智慧を求めることを教えたはずです。ところが、この世になってそれをすっかり忘れ、わたしが手はじめに説いた教えによって、早くも完全な涅槃に達したように思い込んでしまいました。そこで、あなたに、仏弟子《ぶつでし》としての本来の願いと、その願いのために行うさまざまな修行を思い出させるために、あなたをはじめとする多くの声聞たちに、この大乗の教えである妙法蓮華《みょうほうれんげ》・教菩薩法《きょうぼさつぽう》・仏所護念《ぶつしょごねん》という教えを説くのです。

　舎利弗よ。あなたは、考えられぬほどはるかな未来世に至るまでの間に、数えきれぬほどの多くの仏に仕え、それらの仏の説かれる正しい教えをしっかりと持《たも》ち、菩薩としてなすべき修行を完全に実践したのち、必ず仏の悟りを成就することができましょう。仏としての名を、華光如来《けこうにょらい》・応供《おうぐ》・正偏知《しょうへんち》・明行足《みょうぎょうそく》・善逝《ぜんぜい》・世間解《せけんげ》・無上士《むじょうじ》・調御丈夫《じょうごじょうぶ》・天人師《てんにんし》・仏《ぶつ》・世尊と言い、仏として出現する国の名を離垢《りく》と言いましょう。

　その離垢という国は、土地が平らできちんと整っており、言いようもなく清らかで美しく、平和であり、富裕《ふゆう》であり、楽しさが充ち満ち、天人も人間もそこに住み栄えるでありましょう。地面は一面に瑠璃《るり》で敷きつめられ、道路は四通八達《しつうはったつ》し、道の両側は金の縄《なわ》で縁《ふち》どられ、それに沿って七宝で飾られた並木がつらなり、その木にはいつも美しい花が咲き、豊かな果実が実っていることでしょう。

華光如来も、また声聞のための教え・縁覚のための教え・菩薩のための教えという三とおりの教えで、衆生を教化されるでありましょう。

舎利弗よ。その仏の出られる時代は、ひどく悪い世の中ではありません。しかし華光如来は、『すべての衆生を仏の境地に到達させねばやまぬ』という、仏としての本願《ほんがん》を成就するために、やはり(77)三乗《さんじょう》の教えを説かれるでしょう。その時代を、大《だい》宝荘厳《ほうしょうごん》と名づけましょう。なぜかと言えば、その国においては、菩薩を最大の宝とするからであります。その菩薩たちの数は無量であって、とうてい数えきれるものではなく、仏でなければそれを知ることはできますまい。そして、その菩薩たちが歩く時は、一足ごとに地中から美しい花が咲き出て、菩薩たちはその花を踏んで歩くのです。八八—一〇—上

その多くの菩薩たちは、その世において初めて仏の悟りを求める心を起こしたのではありません。みんな、前の世からずっと善い行いを重ねて美徳《びとく》の根を養い、数

えきれないほどの多くの仏のもとで、清らかな身となる修行を続けた人びとです。そして、いつももろもろの仏に賞めたたえられるほどの結果をあげ、仏の智慧を学び、大きな神通力《じんづうりき》を具え、よく一切の教えを知り、心が素直で、実直《じっちょく》で、飾りけがなく、仏道を志《こころざ》す決心は非常に堅くて崩《くず》れることはないでしょう。このような菩薩がその国には充満しているでしょう。

舎利弗よ。華光仏の寿命《じゅみょう》は、まだ仏となられない王子の時代を除いて、十二(78)小劫《しょうこう》という長いものでありましょう。また、その国の人民の寿命も、八小劫という長いものでありましょう。華光如来は、十二小劫の寿命が尽きる時、堅満《けんまん》菩薩という菩薩に、無上の悟りを得るであろうという保証を授け、多くの比丘《びく》たちに向かって、この堅満菩薩が次に仏となるであろう、その名を華足安行《けそくあんぎょう》(79)・多陀阿伽度《ただあかど》・阿羅訶《あらか》・三藐三仏陀《さんみゃくさんぶつだ》と言い、その国土は今の国土と同じようなものであろうと、告げられることでしょう。

舎利弗よ。この華光仏が入滅《にゅうめつ》されてから、正しい教法《きょうぼう》が世に行われるのが三十二小劫、その後、形だけが正法に似た教法の残る時代が、また三十二小劫でありましょう」

こうおおせられた世尊は、重ねてそのことを偈に詠《よ》んで、次のようにお説きになりました。

舎利弗よ。そなたは、はるかな未来世に仏となって、その名を華光と呼ばれ、無数の衆生を導き救うであろう。

ただし、それには条件がある。こののち無数の仏に仕え、六つの菩薩の行に励んでこそ、仏の特質である十の力を具え、無上の悟りも得られるのだ。

そのような修行を、無量の年月つづけた後、そなたは仏となるであろう。時代は大宝荘厳、国の名は離垢。国土は清浄《しょうじょう》で汚れなく、大地は瑠璃。道の境は黄金《おうごん》の縄。色とりどりの七宝に飾られた並木は、常に花咲き、豊かに実っている。

その国の菩薩たちは、仏道を求める志堅く、もろもろの神通力を具え、六波羅蜜《ろくはらみつ》を完全に行じ、無数の仏に仕えて、よく菩薩の道を学ぶ。これらはすべて、華光仏によって教化された者である。

華光仏は、王子の時代に国を捨て、俗世《ぞくせ》の栄華を離れ、凡夫《ぼんぷ》の最後の身として出家し、そして仏道を成ぜられる。

華光仏の寿命は十二小劫。その国の人びとの寿命は八小劫。仏が入滅された後、三十二小劫には正しい教法が行われ、広くもろもろの衆生が救われる真の正しい教法が失われても、三十二小劫には類似の教法が残ろう。仏のご遺骨は国中に分けてまつられ、天上界のものにも、人間界のものにも、篤《あつ》く供養《くよう》されるであろう。

華光仏の事績は、このとおりである。もちろん人間として最高の存在であり、比べるものもありえない。その華光仏こそ、舎利弗よ。そなたの後の世の姿である。大いに喜ぶがよい。

その時、説法会につらなっていた男女の出家在家の修行者たちをはじめとし、天上界の人びとも、鬼神たちも、舎利弗が仏さまから成仏の保証を受けたのを目のあたりに見て、小躍りしたいほどの喜びを覚え、即座に自分たちの着ていた上衣を脱《ぬ》いで、仏さまにたてまつり、感謝の心を表しました。

帝釈天《たいしやくてん》や梵天王《ぼんでんのう》をはじめとする無数の天上界の神々も、天の衣や天の花々を散らして、仏を供養申し上げました。その衣は、虚空《こくう》にとどまったままで、ひらりひらりと美しく舞いひるがえっています。

また神々は、虚空の中でさまざまな音楽を一時に奏し、無数の天の花を雨のように降らしながら、仏さまの説法をたたえて、こう申し上げるのでした。

「仏さまは、昔ベナレスで最初の教えをお説きになりました。そして、今ここに至って、無上最大の教えをお説きになったのです」と。

そしてまた、神々は、重ねて偈を詠んで、申しました。

み仏は、かつてベナレスの初転法輪《しょてんぽうりん》に、四諦《したい》の教えを説きたまい、その後、長の年月に、諸人《もろびと》の機根に応じた自由自在の道により、物質面・精神面のすべてのものごとの、発生・消滅の原理を教えられ、今ここに至って、最高無上の教えを説きたもう。

九一―八―中 一切衆生すべて仏となりうるということの教えは、あまりにも奥深く、よく信じうる人は多くあるまい。われらは、昔より、しばしば世尊の説法を聴聞《ちょうもん》したが、まだこのような深遠・至妙《しみょう》の教えを聞いたことはない。今ここに、初めてそれを聞き、みな随喜してやまぬ。

九一―一一―上 智慧第一の舎利弗は、いま尊い成仏の保証を受けた。これによって、われらもまた、いつかは仏となりうると知った。一切世間、最上の存在となりうると知った。

ああ、仏の悟りとは、かくも奥深く、思いも及ばぬ境地。さればこそ、み仏は、方便を用いて人それぞれに、適切な教えを説きたもう。

九二―一―下
われらもまた、過去世・今世《こんぜ》に積んだすべての善業《ぜんごう》も、み仏に遇いたてまつったこの幸せも、身に得た一切の功徳を仏の悟りを求める道にふり向け、ますます精進《しょうじん》していこう。

その時、舎利弗は、仏さまにこう申し上げました。

「世尊。わたくしは、もう何の疑いも悔《く》やみもございません。世尊のおん前で、親しく成仏の保証をいただきました。けれども、ここにおります千二百人の、心の自由を得た人たちは、むかし教えを学修しておりましたころ、常に仏さまから『わたしの教えは、よく生《しょう》・老《ろう》・病《びょう》・死《し》等の人生苦から解脱させ、心の平安の境地を究めさせるものである』とうかがい、その教えによって高い境地に達することができました。

これらの千二百人の中には、すでに学ぶべきことを学び尽くしたものも、まだ学修中のものもございますが、それにしても、すでに我《が》についてのまちがった考えを離れ、この世のあらゆる存在の本質についてのまちがった考えから離れることができておりまして、自分では、すでに涅槃の境地に達していると思い込んでいたのでございます。ところが、いま世尊から、今までに聞いたこともない教えをうかがいまして、みんなわけの分からぬ思いに当惑《とうわく》いたしております。

どうぞ、世尊、この人たちのために、この教えのわけを詳しくお話しくださいまして、現在の心の混乱を解決してやってくださいませ」

その時、仏は舎利弗に向かっておおせられました。

「わたしは、さきに、『もろもろの仏が過去の実例にことよせたり、譬えを引いたり、適切な言葉を用いて理論的に説明したり、さまざまな方便によって教えをお説きになるのも、すべて結局は仏の悟りに導くためである』と言ったではありませんか。ですから、今まで説いた教えはすべて、仏の悟りを求める菩薩のための教えだったのです。舎利弗よ。それではここでもう一度、譬えによってそのわけを明らかにしてあげることにしましょう。智慧のあるものはだれでも、この譬えによって悟ることができるでしょう。

舎利弗よ。ある国の町に一人の大長者がありました。ずいぶん年をとっていましたが、数えきれないほどの財産を持っていました。田畑や家屋もたくさんあり、使用人もおおぜいいました。その邸宅《ていたく》はたいへん広大なものでしたが、門はただ一つしかありませんでした。その屋敷《やしき》には多くの人たちが住んでいました。

その家はたいへん古びており、土塀《どべい》や壁はところどころ崩れ落ち、柱の土台は腐《くさ》り、梁《はり》や棟《むね》は傾いて、いかにも危げな様子です。すると、突然その家の周りから、一時に火事が起こりました。火は、みるみる家中に燃え広がりました。ところが、その家の中には、長者のかわいい子どもたちが、おおぜいいたのです。

長者は、家の周りから大火が起こったのを見て、たいへん驚き、とっさにこう考えました。『自分はこの燃え盛っている家からすでに離れて、安穏《あんのん》な場所にいる。けれども、子どもたちは、盛んに燃えている家の中にいながら、遊びに夢中になっているので、あるものは燃えていることに気がつかず、あるものは気がついても、いっこう驚きもしなければ、恐ろしいとも感じないのだ。熱気が身を焼くほど迫っているのに、それに苦痛をも覚えず、家の外へ出ようという気を起こそうともしない』と。

舎利弗よ。そこで長者は考えました。『わたしは身に大力を持っている。子どもたちを一緒に箱か机のようなものに乗せ、この大力をもって一気に外へ出してあげようか』と。

しかし、長者は、次のように考え直しました。『この屋敷には、ただ一つの門しかない。しかも、たいへん狭い門である。子どもたちはまだ幼くて、その門のことは何にも知らないのだ。そして、遊びに夢中になっている。だから、こちらの力で一方的に運び出そうとしても、その手からこぼれて、火に焼けてしまわないとも限らない。まずこの火の恐ろしさを知らせてやることが、何より大切なのではないか。この家は燃えているのだ。早く逃がすことが、現実の問題だ』と。

こう考えた長者は、さっそく考えたとおりを子どもたちに告げました。そして、『この家は火に包まれているのだ。さあ、早く出なさい。出なければ、焼け死んでしまうよ』とけんめいに勧めるのでした。ところが、子どもをかわいそうに思う一心からこうして言葉を尽くして勧めても、子どもたちはあい変わらず遊びに夢中になっていて、それを受け入れようとはしないのです。驚きもしなければ、恐ろしいとも思わず、したがって、逃げ出そうという心が起こらないのです。

子どもたちは、火というものは何か、家というものは何か、死ぬというのはどんなことか、それさえ知らず、ただあっちへこっちへと走り回って遊んでいるばかりです。時々は、父のほうをチラリチラリと見るには見るのですが、――お父さんが何か言ってる――ぐらいで、ほとんど問題にせず、本気になって聞こうともしません。

九四―七―下
そこで、父は最後に考えました。『現実にこの家には大火が、燃え広がっているのだ。子どもたちを救い出さなければ、きっと焼け死んでしまう。こうなれば、方便をもって救ってあげるほかはない……そうだ、子どもたちにはそれぞれ好きなものがある。珍《めずら》しいものや、おもしろいものや、おもちゃのようなものには、心を引かれるものだ……』

こう考えた長者は、子どもたちに向かって、『お前たちの好きなものがあるぞ。めったに手に入らない、素晴らしいものだ。今もらわないと、後で後悔するぞ。羊《ひつじ》の引《ひ》く車と、鹿《しか》の引く車と、牛《うし》の引く車だ。門の外にあるから、それで遊びなさい。さあ、みんなこの家から早く出てきなさい。どれでも、好きなのをあげるから……』と呼びかけました。

子どもたちは、珍しいりっぱな車がいろいろあるぞ……という父の長者の言葉を聞きますと、それが、かねて心のどこかで欲しいなと思っていたものにピッタリでしたから、それ行けとばかり、われさきに走り出し、燃え盛る火の家から逃《のが》れ出ることができたのです。

長者は、子どもたちが何の怪我《けが》もなく、四辻《つじ》の広場の地面に坐って、うれしそうにしているのを見て、やっと安心しました。子どもたちは、父が近づいてくるのを見ると、口々に『お父さん、さっきおっしゃった羊の車と、鹿の車と、牛の車を早くくださいよ』とせがむのでした。

舎利弗よ。そのとき長者は、たくさんの子どもたちに、みんな同じく、子どもたちが想像していたよりはるかにりっぱな、大きな車を与えたのです。

その車は、堂々として、高く、広く、多くの宝物できれいに飾られています。周りにはらんかんをめぐらし、四方にはいい音を出す鈴がかかっており、車の上には美しい織物《おりもの》の屋根が張られ、それもさまざまな珍しい宝で飾られています。また、美しい綱が車の軒《のき》から四方に張りわたされ、それにはたくさんの花環《はなわ》がつるしてあります。車の床には、柔らかい蒲団《ふとん》が重ねて敷かれ、赤い枕が置いてあり、ゆったりと横たわりながら乗ってゆけるようになっています。

車を引くのは、まっ白な牛です。皮膚《ひふ》の色がいきいきとして、清らかに美しく、からだの形も申しぶんなく、非常に強い力を持っています。足並みはいつもおだやかで、正しく調っており、しかも風のように速く走ります。その車の前後左右には、たくさんの召使いたちが、護衛《ごえい》し、お供しているのです。

九五―一二―下 なぜこの長者は、みんなにこのような大白牛車《だいびやくごしや》を与えたのでしょうか。長者の富は無限であり、数多くの蔵に尊い財宝がいっぱいあるからです。そして長者は、次のように考えたからです。『わたしは無限の財産を持っている。それなのに、つまらない車を子どもたちにあげてどうなるというのか。この子どもたちは、みんなわたしの実子なのだ。どの子が特別かわいいなどという気持は、さらさらない。みんなかわいくてたまらないのだ。しかも、わたしはこのようなりっぱな大車を無数に持っている。だから、みんなに分けへだてなくそれをあげようではないか。わたしは、国中の人にあげてもまだあり余るほど、この大車を持っているのだ。それなのに、自分のかわいい子どもたちにあげないでどうしようか』……そういうわけで、子どもたちみんなに、等しく大白牛車をあげたのです。

九六―六―中 子どもたちは、この素晴らしい大白牛車に乗って、今までにかつてない喜びを覚えたのですが、しかし、厳密に言えば、子どもたちは最初望んだものを得たわけではありません。舎利弗よ。あなたはどう思いますか。この長者が初めの約束と違って、みんなに同じように大白牛車を与えたことは、嘘をついたことになりますか、どうですか」

舎利弗はお答えしました。

「そうではございません。世尊。この長者が、ただ子どもたちを火から逃れさせ、命を全《まっと》うさせてあげただけでも、嘘をついたことにはなりません。なぜかと申しますと、もし命が助かれば、何より大切なものを得たわけだからであります。しかも、この長者がおもちゃをあげると言ったのは、火の家から逃れさせる慈悲《じひ》の方便だったのですから、少しも非難するところはないと存じます」

舎利弗は言葉を続けます。

「世尊。もしこの長者が、いちばん小さな車すら与えなかったとしても、やはり嘘をついたことにはなりますまい。なぜかと申しますと、この長者が『好きな車をあげよう』と言ったのは、最初から、方便をもって子どもたちを火の中から出してあげようと考えてのことだったのですから、実際に火の中から出してあげさえすれば、嘘をついたことにはならないわけでございます。

ましてや、この長者は、『自分には無限の富があるのだから、いくらでも子どもたちに分け与えて、幸福にしてあげよう』と考え、みんなに飛びきり最上の大車を与えたのですから、約束が違うとか、嘘をついたどころのさわぎではございません。まったく、言うことは何もないのです」

九七―四―上　仏さまは、舎利弗に向かっておっしゃいました。

「よく言いました。そのとおりです。舎利弗よ。仏はちょうどこの長者のようなものなのです。すなわち、一切のものの父であります。仏は、またこの長者のように、すべての怖《おそ》れ・衰《おとろ》え・悩《なや》み・心配《しんぱい》・わずらい・迷《まよ》い・無智《むち》などの暗闇《くらやみ》から永久に離れたものです。

九七―六―下　しかも仏は、量り知れない智慧と、智慧のはたらきと、はばかるところなく法を説く力を完成し、大きな神通力と智慧力とを具えています。つまり、方便と智慧との両方を完全に具えているのです。また、すべての衆生を苦しみから救い、幸せを与えてあげようという広大な心を持ち、その行いを続けて、怠《おこた》ったり、倦《あ》いたりすることはありません。常に衆生のためになることを求め、すべてに利益《りやく》を与えるのです。

九七―八―下　そういうすぐれた徳と力をもった仏が、なぜ、古ぼけた家に大火が起こっているような苦悩に満ちたこの世界に出るのかと言えば、ほかでもありません。衆生のだれでもがもっている生・老・病・死の苦しみ・もろもろの心配や悲しみ・悩み・目先だけしか考えぬ愚かさ・無智、とりわけ、貪《むさぼ》り・怒《いか》り・衝動的《しょうどうてき》な行動という人間をそこなう(80)三つの毒から救い出し、さらにそれを仏法によって教え導いて仏の智慧を悟らせてあげたいためであります。

九七―一〇―下　もろもろの衆生の様子を見ますと、生の苦しみ・老いの苦しみ・病の苦しみ・死の苦しみをはじめとする、限りない憂い・悲しみ・苦しみ・悩みに身を焼かれ、また五官の欲や金銭・物質の欲のために、さまざまな苦しみを受けています。

ものごとを深く貪り、執着《しゅうちゃく》し、どこまでも執念深く追い求めてやまないために、現世《げんぜ》においてはこのような多くの苦しみを受け、来世《らいせ》においては地獄界《じごくかい》・畜生界《ちくしょうかい》・餓鬼界《がきかい》に堕ちて、また苦しみを受けるのです。

もし天上界や人間界に生まれ変わっても、あい変わらず貧乏の苦しみや、愛するものに別れねばならぬ苦しみや、きらいなものに会わねばならぬ苦しみなど、さまざまな苦しみを受けるのであります。

九八―二―下
衆生は、こういう苦の世界の中にいながら、その実体を知らず、ただ一時的な喜びを追い、享楽《きょうらく》にふけり、火が身に迫ってきても、それを感ぜず、驚かず、恐れもしないのです。また、それを厭《いと》う心もありません。したがって、解脱したいという望みも起こしません。ただこの三界の火の家の中を、あちこちへ走り回るばかりで、大きな苦しみに遭おうとしていながら、それを心配もしないのです。

舎利弗よ。仏は衆生のこのような姿を見ては、こう考えざるをえません。

『自分は一切衆生の父親なのである。どうしても、あの苦しみや難儀《なんぎ》を取り除いてあげ、仏の智慧を知ることによってのみ得られる無限の楽を与え、本当に自由自在な人生を送らせてあげなければならない』と。

九八―七―上
舎利弗よ。次に、わたしはこう考えたのです。『もしわたしが、仏のみが持つ神通力や智慧力を重視し、方便というものを無視して、一足飛びに仏のすぐれた智慧や力や精神的な強さなどの高い境地を衆生に示したとしたら、けっしてこの人たちを救うことはできないであろう。なぜかと言えば、この人たちは、生・老・病・死の心配や悲しみや苦しみや悩みのまっただ中におり、いわば火宅の中で身を焼かれていながら、それさえ自覚しない状態であるのに、どうして、最も高く奥深い仏の智慧などが分かるであろうか。分かるはずはないからである』と。

舎利弗よ。いま話した長者は、非常に強い剛力を持っていたのに、それを用いませんでした。そして、親切な方便を用いて、子どもたちを火の家の危険から救い出し、その後で、みんなに最高の大白牛車を与えたのです。如来も、それと同様です。[81]十力《じゅうりき》・[82]無所畏《むしょい》のような力を持っていても、それを用いず、大きな智慧にもとづく方便によって、苦の三界にあえいでいる衆生を救い出してあげようとして、まず声聞乗・縁覚乗・菩薩乗の三つの教えを説いたのであります。

そして、わたしはこう教えました。『皆さんは、いつまでもこの苦の世界に住んでいてはなりません。つまらない五官の楽しみを貪ってはなりません。もしそれを貪り、執着して、心に渇愛《かつあい》を生じたならば、そのために身を焼かれるでありましょう。早くこの苦の三界から抜け出て、声聞の教え・縁覚の教え・菩薩の教えのどれでもいいから、それに入りなさい。わたしは、皆さんがそれらの境地を必ず得られることを、責任をもって保証します。嘘ではありません。みんなわたしの言葉を信じて、けんめいに修行し、精進しなさい』と。

九九―七―下 如来はこういう方便を用いて、衆生を導き、正しい道に進ませたのです。そして、さらに、『皆さん。この三乗の教えは、すべての聖者が賞めたたえるものです。この教えによれば、真の自由自在を得、苦とのつながりを断ち切ることができ、六《ろく》道《どう》の輪廻《りんね》から離れることができます。この三つの教えによって、迷いからすっかり離れる五つの要素や、その要素の五つのはたらきや、悟りを得る七つの方法や、八つの正しい道や、心が落ち着いて乱れることのない境地や、世間のすべての欲や迷いから離れきった心境や、真理に精神を集中して動揺させない能力など、さまざまな高い境地を得ることができ、それらによって高貴な精神的な楽しみを味わい、量り知れない心の安らぎと、真の喜びを覚えることでしょう』と、教えてあげたのであります。

九九―一一―中 舎利弗よ。ここにある人びとがあって、心の奥に智慧を喜ぶ性質を持っており、その人が仏に教えを聞いて信受《しんじゅ》し、心を込めて精進し、迷いと苦の世界から早く逃れ出たいという願いから、涅槃の境地を求めたとしましょう。そのような修行のゆき方を、声聞乗と名づけるのです。長者の子どもたちが羊の車を求めて火宅から走り出るのが、これに当たります。

一〇〇—一二—中　もしここにある人びとがあって、仏に従って教えを聞き、それを信受し、心から精進して、自然に真理を悟る智慧を求め、ひとり静かに思いを凝《こ》らすことを喜び、そうして、深くこの世のもろもろのものごとの因縁を究めたとしましょう。そういう修行のゆき方を、縁覚乗と名づけます。長者の子どもたちが鹿の車を得たいと思って火の家から走り出るのが、これに当たります。

一〇〇—一五—上　もしある人びとが、仏の教えを聞いて信受し、けんめいに修行し、精進し、仏のあらゆる智慧と、その智慧のはたらきと、偉大な教化の力を求め、多くの人びとを憐れみ、安楽を与え、天上界・人間界のものすべてを利益し、一切を救う行いをしたとしましょう。こういう修行のゆき方を大乗（菩薩乗）と名づけるのです。菩薩とは、この大乗を求める人たちですから、大士というわけです。長者の子どもたちが牛車を得ようとして火の家から走り出るのが、これに当たります。

一〇〇—一九—中　舎利弗よ。その長者は、子どもたちが安全に火の家から逃れ出ることができて安全な場所にいるのを見、また自分が無限の富を持っていることを考えて、すべての子どもたちに等しく大白牛車を与えましたが、如来はちょうどその長者のようなものであります。

一〇〇―一一―下 如来は一切衆生の父なのであります。数知れぬ衆生たちが、仏の教えという門をくぐって、苦しみや恐怖《きょうふ》に満ちた三界の危ない場所から逃れいで、心の安らいだ楽しい境地に達したのを見ては、『わたしは無量無辺《むりょうむへん》の智慧と、そのはたらきと、大きな教化の力など、諸仏の法の宝を無限におさめた蔵を持っている。そして、このもろもろの衆生は皆わたしの子なのである。みんなに等しく最上の教えを与えよう。特定の人だけに、あるいは人によって特別に違った涅槃を与えるようなことはすまい。如来の涅槃と同じ涅槃を、すべての人に悟らせてあげよう』という思いを起こすのです。

一〇一―一四―中 こうして、苦の世界から逃れいでた衆生に対しては、もろもろの仏と同じような、禅定・解脱という楽しい境地を与えるのであります。この、仏の禅定とか解脱とかいう境地には、さまざまな段階があるのではなくて、完全にひといろのものであり、すべての聖者に賞めたたえられる最高の境地であり、清らかで美しい、最高の喜びをもたらすものであります。

舎利弗よ。あの長者が、初め三種類の車をあげようと言って子どもたちを誘い、後では美しい宝物で飾った最も安全な大車を与えても、けっして嘘をついたことにはならないのと同様に、如来もやはり嘘をついたわけではないのです。

仏は、初めに三乗の教えを説いて人びとを導き、そうしてから一様に実大乗《じつだいじょう》(83)を説いて、本当の悟りを開かせるのです。なぜでしょうか。ほかでもありません。仏は智慧・力・無所畏というようなすべての徳を無限にもっているのですから、一切衆生にいくらでも与えることができるのですが、衆生のほうで、初めはそれを完全に受け取ることができないからです。舎利弗よ。こういうわけで、如来は諸仏と同じように、方便力をもって、一仏乗を三つに分けて説くのであります」

仏は、これまで述べてこられたことの意味を重ねて強調されるために、偈を説いておおせになりました。

譬えば、ここに長者があって、大きな屋敷を持っていたとしよう。その家はすでに長い年月を経、いたく古び、こわれかかっていた。建物は高くそびえているが、柱の根はくだけ腐り、梁や棟は傾きゆがみ、基陛《きざはし》は崩れ、牆《かき》や壁は破れ、泥《かべつち》や塗《しつくい》ははげ、屋根をふいた苫《とま》も乱れ落ち、椽《たるき》や梠《ひさし》は脱けかかり、周りの障《どて》はまがりくねっていた。屋敷中にガラクタや汚物が充満していたが、しかもその中に五百人もの人が住んでいた。

その家には、さまざまな動物が巣くっていた。鵄《とび》・梟《ふくろう》・鵰《くまたか》・鷲《わし》・烏《からす》・鵲《かささぎ》・鳩《やまばと》・鴿《いえばと》・蚖蛇《からすへび》・蝮《まむし》・蠍《さそり》・蜈蚣《むかで》・蚰蜒《げじげじ》・守宮《やもり》・百足《おさむし》・鼬《いたち》・狸《たぬき》・鼷《はつかねずみ》・鼠《ねずみ》、その他悪い虫どもが縦横に走り回っていた。

屎尿《しにょう》の臭気はあたりにたちこめ、至る所に不浄物《ふじょうぶつ》が流れ、その上に蜣蜋《くそむし》の類がたかっていた。狐《きつね》・狼《おおかみ》・野干《やまいぬ》などが群がり集まって、噛みあい、踏みあいして争い、死骸《しがい》にガツガツと噛みつき、骨や肉を食いちらした。

狗《いぬ》どもの一群もやってきて、打ちあい、つかみあいをはじめた。飢《う》えのため痩《や》せ弱り、オドオドしながら、あちこちに食をあさり、食べものを見つけると、いっせいに飛びかかり、取りあい、引っ張りあって争い、唸《うな》り、歯をむき出し、吠えあい、何とも言えぬあさましさ。

この家の、実に恐ろしく、変わりはてた姿は、このとおりであった。

一〇二―一〇―下 あちらこちらに、山の化けものや、水の化けものや、夜叉《やしゃ》や、悪鬼《あっき》が住み、人間のしかばねを引き裂《さ》いて食い、毒虫《どくちゅう》のたぐいをムシャムシャと食っていた。悪いトリやケモノどもが巣をつくり、卵や子どもを産み、大事に育てているのだが、それを見ると夜叉どもが争って飛んできて、育てるそばから取って食べるのだ。

腹いっぱい食べると、夜叉どもの悪心《あくしん》はますます盛んになり、互いにいがみあい、戦いあう。その叫び声は、何とも言えぬ恐ろしさであった。

鳩槃茶鬼《くはんだき》という小さな奇怪《きかい》な鬼が、土間にうずくまっている。一尺二尺と地上から飛び上がり、あっちへ飛んだりこっちへ飛んだり、家の中をわがもの顔に遊び回る。犬を見れば、飛びかかり、両足をつかみ、地上に仰向けにして押さえつけたり、打ちたたいて気絶させたり、脚で首をしめたりして、おどし、いじめて、喜んでいる。

一〇三―四―中
鬼どもも住んでいる。ある鬼は背たけが恐ろしく高く、ヒョロヒョロに痩せ、色はドス黒い。気味の悪い大声で叫びながら、四六時中、食をあさっている。

あちらにはまた、違った鬼がいる。のどが針のように細い、奇妙な鬼だ。

こちらにはまた、牛の頭を持った鬼がいる。人肉《じんにく》を食い、犬を食う。髪をヨモギのようにふり乱し、その性は実に残忍《ざんにん》、凶悪《きょうあく》。常に飢えに迫られ、喚《わめ》きながら走り回っている。

家の外から眺めれば、これらの夜叉・餓鬼《がき》・悪鳥獣のたぐいは、迫る飢えと死に追われつつ、窓から外をうかがい見ている。

一〇三―八―下 このように、家中にさまざまな悪が充ち満ち、恐ろしさは言いようもない。

その家は、ある一人の人の持ちものだったが、その人が近くまで出かけたるすに、とつぜん火事が起こった。四方が一時に猛焔《もうえん》に包まれ、棟・梁・椽《たるき》・柱は音を立ててはじけ、裂け、くだけ折れて落ち、牆《かき》や壁はドッと崩れた。

もろもろの鬼どもは、火を見て大声に喚き叫び、鵰《くまたか》・鷲《わし》・鳩槃茶鬼どもは、驚きあわてて逃げまどうが、逃げ出すことはできない。悪獣・毒虫のたぐいは急いで穴の中へかくれた。

人の精気を食らう毗舎闍鬼《びしやじやき》も、穴の中にひそんだが、これまでに積んだ悪業のゆえに、火に責められて七転八倒し、しかも、その苦しみのさ中で、互いに傷つけ殺しあっては、血を飲み、肉を食いあうというあさましさ。

野干《やまいぬ》どもは、まっさきに死んだ。すると、さまざまの大悪獣どもが、われさきと群がり襲い、その死骸をむさぼり食らった。糞便《ふんべん》が焼けて、臭い煙が四方にたちこめ、蜈蚣《むかで》・蚰蜒《げじげじ》・毒蛇のたぐいは、火に焼かれ、争って穴から逃げ出るが、出るそばから、鳩槃茶鬼が取って食うのだ。もろもろの餓鬼は、髪の毛に火がつき、その熱さと飢えとに一時に苦しめられ、うろたえ、もだえながら、走り回っている。

その家はこんなにも恐ろしい所だった。人間を毒し、害し、焼き尽くす、さまざまな悪に充ち満ちていた。

家の主人はたまたま外にいたが、ある人が、『あなたの子どもさんたちは、さっきから夢中で遊んでいましたので、この家の恐ろしいことも知らずに、中へ入ってゆきました。まだ小さくて何も分からないせいでしょう、あの火の中でおもしろがって遊んでいますよ』と教えてくれた。

一〇四―九―中 長者は驚いて、火の燃え盛る家へ駆けこんでいった。子どもたちが焼け死なぬうちに、救い出してやらねばならない。遊びに夢中の子どもたちに、声をからして呼びかけた。

「早く、この家から出なさい。お前たちには見えないのか。ここには、悪鬼や毒虫がいっぱいおり、ほら、火も燃え広がっているのだよ。悪いものが次々に苦しめにきて、いつまで経ってもきりはないのだ。毒蛇・カラスヘビ・蝮《まむし》・それにいろんな鬼たちや鳩槃荼鬼、また野干《やまいぬ》・狐《きつね》・狗《いぬ》・鵰《くまたか》・鷲《わし》・鵄《とび》・梟《ふくろう》や、ムカデのような毒虫たちがたくさんいて、みんな死にそうに腹が減り、カラカラにのどが渇いているから、どんなことをするか分からないよ。本当に怖いんだよ。それだけでもたいへんなのに、その上、この家には大火事が起こっているんだよ」

だが、子どもたちには、周囲に起こっている事実が、いっこう目に入らない。父親に教えられても、遊びの楽しみに夢中なあまり、まったく上《うわ》の空《そら》なのだ。

一〇五―三―中 それを見た長者は、考えた。

「この子たちは、どうしてこんなにわたしを心配させるのだ。楽しいこと一つないこの家の、どこがおもしろくて、遊びにふけっているのだろう。わたしがいくら教えても、見向きもしない。ああ、今にも火に焼かれるというのに……」

その時、父の長者にいい智慧が浮かんだ。長者は、子どもたちに呼びかけた。

「わたしは珍しいおもちゃを持っているよ。羊の引く車、鹿の引く車、牛の引く車、いろいろあるよ。門の外にあるんだ。さあ、出てきてごらん。お父さんが、お前たちのためにこしらえたのだ。さあ、どれでも好きなのを取って、それで遊びなさい」

子どもらは、車の話だと、飛びついた。われさきにと駆け出した。そして門の外へと走り出た。広い空地《あきち》にやってきた子どもたちは、われ知らず火の家の苦難から逃れたわけだ。

長者はそれを見て、自分もそこへ行き、椅子に深々《ふかぶか》と腰を下ろし、安堵《あんど》の溜息と共にこう言った。

一〇五―一一―下
「わたしは、今こそ、うれしい気持でいっぱいだ。この子どもたちは、まったく育てにくい子ばっかり。わけが分からず、智慧が足りず、自分から危ない家の中に入っていったのだ。あの家にはさまざまな毒虫や悪鬼たちがたくさんいて、身の毛もよだつ恐ろしさである上に、大火事が起こり、すさまじい焔が四方から燃え上がった。この子どもたちは、あい変わらず遊びに夢中になっていて、その危なさといったらなかった。しかし、わたしは今この子たちを助けて、苦難から逃れさせることができたのだ。皆さん。わたしは、いま本当にうれしいのだよ」

そのとき子どもたちは、父の長者がニコニコ顔で坐っているのを見つけて、その前に駆け寄り、口々にねだった。

「お父さん、その三とおりのりっぱな車というのをくださいよ。さっきお父さんは、――みんな出てこい、外に三とおりの車があるから、どれでも欲しいのを取っていいぞ――とおっしゃったではありませんか。今、その車をください」と。

この長者は、量り知れないほどの財産家。蔵の中には金《きん》・銀《ぎん》・瑠璃《るり》・硨磲《しゃこ》・碼碯《めのう》、その他いろいろな宝物がいっぱいつまっていた。その宝物をあしらって、長者はたくさんの大きな車を造った。

その車は美しく飾られ、四面にてすりをめぐらし、四方にいい音の鈴をかけ、金の網を張りわたし、真珠で編んだすだれを張り、黄金の花ぶさをあちこちにつるし、そのほかいろいろな飾りが、周りをうずめている。柔らかな繒纊《きぬわた》の蒲団の上には、最上の薄手《うすで》の毛織物の高価な純白の敷布《しきふ》を敷いてある。車を引くのは大きな白い牛。よく肥り、力が強く、からだの形も実にりっぱだ。車の前後左右には、多くの従者が護衛している。

この素晴らしい車を、すべての子に同じように与えたのだった。

子どもたちは、飛び上がって喜び、そのりっぱな車に乗って、あちこちに遊びにゆき、自由自在な楽しみを味わうことができた。

一〇七—三—中
舎利弗よ。わたしはこの長者と、同じ立場にいる。世の多くの聖者の中でも、最高の悟りを開いたものであり、広い世間の父である。

一切衆生は、皆これわが子。その子らは、世間の楽しみに執着し、ものごとの真の相《すがた》を悟る智慧がない。

一〇七—五—中
この世界は、凡夫にとって、少しも安らかなことがない。火の燃え盛る家に等しく、もろもろの苦しみに満ち、恐ろしい限りだ。生きる苦しみ、老いの苦しみ、病の苦しみ、死の苦しみ、もろもろの憂いや煩《わずら》いの火が、熾然《しねん》として止むことがない。

一〇七—七—上
わたしは、すでにこの迷いの世界を離れ、世の煩いに影響されぬ境地に、静かに住みなしているのだが、しかし、この三界はわたしのものだ。その中の衆生はみんなわたしの子だ。この三界には、もろもろの苦患《くげん》が渦巻《うずま》いている。その苦患から衆生を救うのは、わたしよりほかにない。どうして放っておかれよう。

一〇七―一〇―上
だが、わたしがさまざまに教えても、衆生はなかなか信じようとしない。なぜならば、もろもろの欲望を貪り、物に執着する心が深いため、教えがまっすぐ心に入ってゆかないのだ。
そこで、わたしは、方便を用いた。程度と傾向の違った、三つの教えを説き、この世が苦の世界であることにめざめさせ、そこから逃れ出る道を説き示した。

一〇七―一二―下
これらの教えを聞き、教えが心にしっかりと定着した者は、次第にもろもろのすぐれた神通力を身につけ、縁覚の境地に至り、さらにまた、不退転《ふたいてん》の菩薩となった者もあったのだ。舎利弗よ。今わたしはこの火の家の譬えによって、ただ一つしかない究極の、真実の悟りへ、衆生を導こうとしているのだ。
諸人よ。もしこの教えを信解《しんげ》し、受持《じゅじ》するならば、みな究極・真実の、仏の悟りを成就するに違いない。

一〇八―三―下
この悟りは、まことに奥深く、言葉に尽くせぬものがある。迷いや汚《けが》れを離れていることは第一、世間にこれ以上のものはない。仏は、すべての衆生がこの境地に達することを喜ぶものである。衆生は、その悟りを賞めたたえ、尊び、有難く礼拝しなければならない。

この悟りを成就した人は、量り知れぬ大きな能力と、人生の迷いや苦しみからの解脱と、静かで乱れることのない心と、明らかにものごとの実相《じっそう》を見る智慧と、その他のさまざまな仏の徳を具えるであろう。

一〇八―六―下 わたしは、凡夫たちをこの境地に導き、恒常《こうじょう》に、永遠に、自由自在の心を得させるのだ。多くの菩薩や声聞を、この教えによって仏の悟りへ導くのだ。

一〇八―八―下 わたしは断言する。十方世界のいずこにも、真実の教えはこの外にない。もちろん、仏が方便をもって真実を説く場合は別である。

舎利弗よ。そなたをはじめ、この座につらなる一同は、すべてわたしの子である。わたしは、みんなの父である。

みんなは、長い年月、さまざまな苦しみに身を焼かれていた。わたしはみんなを救い出し、三界の苦から逃れさせた。

一〇八―一一―下 その時わたしは、そなたたちは涅槃を得たと言った。だが、その涅槃は、現象の変化に心を奪われぬようになったというだけで、最終的な涅槃ではない。

一〇八―一二―下 最終的な涅槃、真実の涅槃、それは仏の智慧を得ることだ。みんなに残された問題は、ただそれだけなのだ。

一〇九―一―中 もしこの座の中に、真に仏の悟りを求める人がいるならば、もろもろの仏の説かれる教えの究極の真実を知ることだ。

一〇九―二―中 もろもろの仏は、方便によってさまざまな教えを説かれるが、その教えによって教化された人は、自らはどう考えていようと、実はみな菩薩なのだ。仏の悟りへの道程にあるのだ。まず、そのことを知るがよい。

一〇九―三―中 もしある人が智慧浅く、渇愛から生ずる欲望に、深く執着しておれば、もろもろの仏はかれのために、苦諦《くたい》の教えを説かれるだろう。

その人は、かつて聞いたことのない教えに、心開ける思いをするだろう。仏の説かれる苦諦の教えは、真実であって、違うところはないからだ。

もしある人が、苦の原因を知らず、苦の原因であるものごと自体に深く執着し、しばしの間も心から放つことができぬ状態ならば、それを放下する手段として、八正道を説かれるだろう。

一〇九―七―中 すべての苦の原因は何か。ズバリと言おう。貪欲こそが、その根本だ。ゆえに貪欲を滅すれば、苦は依《よ》りどころを失って、消滅するのだ。こうすればもろもろの苦は消滅する。それを悟るのを、第三の諦《たい》、滅諦《めったい》と名づける。その悟りを現実化するために、八正道を修行するのだ。

一〇九―九―中 もろもろの苦の束縛から離れたことを、解脱したといちおう名づける。この境地の人は、何から解脱したのか。実体のない現象をあるかのように考える、その妄想《もうそう》から離れたわけである。

一〇九―一一―上 これはいちおうの解脱ではあるが、まだ完全な解脱ではない。ゆえに仏は、この人は真の涅槃は未だしと説く。なぜならば、無上の道、仏の悟りを成就していないからだ。わたしとしても、この境地の人を、悟り得たとは思いたくない。わたしは法の王であり、どんな教えでも自在に説く。しかし、その目的はただ一つ、衆生を真の安穏に達せしめるためである。わたしがこの世に生まれたのも、その目的のためである。

一一〇―一一―中 そこで舎利弗よ。いま説いた諸法実相《しょほうじっそう》の法門も、衆生を幸せにするためにこそ説くのだという根本精神を、よくよく心得ておくことだ。ゆえにこの法は、相手かまわず説いてはならない。難信《なんしん》・難解《なんげ》の法ゆえに、かえって逆の効果となることもあるからだ。

二〇―四―上 もしこの法を聞き、信受する人があったならば、その人はまさしく不退転の菩薩である。

もしこの教えを、心から信受する人があったならば、その人はすでに前世において、仏に遇いたてまつり、敬い尊び、感謝のまことをささげ、そして教えを聞いた人たちに違いない。

二〇―六―下 舎利弗よ。そなたがこの教えを他の人に説き、もしその人が心から信受したならば、とりもなおさずそのことは、わたしに会ったと同様であり、わたしの弟子たちに会ったと同様であり、もろもろの大菩薩に会ったと同様である。この法華経《ほけきょう》は、深い智慧をもつ人のために説く教えだ。まだ智慧が浅く、ものごとの表面しか見えない人は、これを聞いてもわけが分からず、ただ当惑するばかりだろう。心のすぐれた声聞や縁覚でさえも、この教えを完全に理解するには、やや力およばぬところがあろう。

二〇―一〇―中 舎利弗よ。そなたがこの教えに入れたのも、わたしを信ずればこそできたのだ。ほかの声聞たちは、なおさらそうだろう。わたしの言葉を信ずればこそ、この教えにも随順《ずいじゅん》するのであって、自分自身の智慧によって、分別・判断した結果ではあるまい。どうかね、舎利弗。

二〇―二中 ゆえに舎利弗よ。まだ知りえぬものを知りえたと思い、悟りもせずに悟ったと錯覚している、うぬぼれで高慢な者（憍慢《きょうまん》）には、この教えをこのまま説いてはいけない。怠け好きで、余計なことに心を奪われがちで、一心に修行する気持のない者（懈怠《けだい》）にも、同様である。何事も自己中心に考える性癖《せいへき》（我見《がけん》）があり、正法《しょうぼう》もゆがめて受け取るような傾向のある者にも、やはり同様である。

二一―一中 凡夫はものごとの表面だけを見、根本をつかむ力がなく、利己的な欲望にとらわれているゆえに、この教えを聞いても理解できまい。だから、このまますぐ説くことは控えるがよい。

もしある人が、この教えを信じえず、かえって教えを誹《そし》るようなことがあれば、世間の人の、仏道を悟れるような種《たね》を断ち切ってしまうこともある、恐ろしい罪と言わねばならぬ。

二一―三下 この教えや、この教えの信者に対する反感を、あからさまに表す人もあろう。この教えに疑義《ぎぎ》をさしはさみ、揚げ足を取って喜ぶ人もあろう。そのような行為が、どんな罪をつくるのか。そのような人が、どんな報いを受けるのか。いま説いて聞かせよう。

わたしが在世《ざいせ》の時にせよ、入滅の後にせよ、この教えを読む人、信奉する人を見て、軽蔑したり、憎んだり、嫉《ねた》んだり、恨みを懐《いだ》いたりする人があるかもしれぬ。それがどのような罪であり、どのような報いを受けるか。よく聞くがよい。

そのような人びとは、この世の命を終えた後、阿鼻地獄《あびじごく》に生まれるだろう。一劫(78)の間そこに生き、命終わればまたも他の地獄に生まれ、こうして地獄界を転々とし、無量の年月を地獄の中で暮らすだろう。

地獄から出てきても、今度は畜生道《ちくしょうどう》に生まれるだろう。野良犬に生まれ変わっては、身は痩せこけ、色はドス黒く、皮膚はうみただれ、人びとに憎まれ、なぶりものにされよう。常に飢渇《きかつ》に苦しみ、骨と皮ばかりでやっと生き、生きては棒やイバラで打ちたたかれ、死んでも石や瓦を投げられよう。なぜ、このような報いを受けるのか。人びとが仏の悟りに赴くその道を断ち切った悪行こそが、自らを罰するのである。

あるいは駱駝《らくだ》や驢馬《ろば》として生まれ、一生重い荷を背に負い、杖《つえ》で捶《むちう》たれつつ、水のある場所はないか、草のある場所はまだかと、ただそればかりを望んで歩き続けよう。尊い教えを謗り、世に広まるのを妨げる者は、このような報いを自ら招くのだ。

野干《やまいぬ》に生まれ変わって村里へ行けば、皮膚はできものだらけ、片目を失っているため、いたずらな子どもたちに打ちたたかれ、苦しめられ、死に至るものもあるだろう。

死んだら、今度は大蛇に生まれよう。無気味に長いからだ、耳もなく足もなく、くねくねと腹ばって歩かねばならない。弱れば、小さな虫どもに体液をすすられ、食われ、昼も夜も苦しみを受け、休まることもないだろう。これも、この教えを、謗った罪による報いである。

もし人間に生まれても、六根《ろっこん》のはたらきが鈍く、あるいは矬陋《せひくく》・癴《ひきつり》・躄《いざり》・盲《もう》・聾《ろう》・背傴《せむし》のような身となって生まれるだろう。

何を言っても人に信ぜられず、口の息が常に臭く、鬼とか魔などのつきやすい人となるだろう。

貧乏で、身分も低く、他人に使われてばかりおり、病気がちで、からだは痩せ細り、頼りになる人はなく、人を頼っていっても、親身に目をかけてもらうことはないだろう。

それよりはましな身分となり、いくらか所得があるようになっても、それをどこかへ忘れたり、なくしたりする不幸な目を見るだろう。

もし、病気治しの道を覚え、処方のとおり薬を調合して、人の病気を治してやろうとしても、その病人が余病を併発し、ついに死なせてしまうというように、あるいはまた自分が病気にかかっても、看護してくれる人はなく、たとえ良薬をのんでも、かえってそのために病気が悪くなるというように、ものごとが裏目裏目と出る不運に見舞われるだろう。

あるいはまた、他人の反逆や、掠奪《りゃくだつ》や、窃盗《せっとう》の罪が自分にかかり、濡れ衣を着る災難を受けるだろう。

このような人たちは、その罪によって、もろもろの聖者の王たる仏に遇うことがなく、その教えを聞くこともできないだろう。

このような罪人は、常に、仏を見たてまつることもなく、正法を聞くこともない場所に生まれ、あるいは、心が乱れ、心の耳がふさがれているために、非常に長いあいだ正しい教えを聞くことができないのである。このようにして、ガンジス河の砂の数ほどの長い年月、生まれ変わり死に変わりしても、いつも聾・瘂《あ》などの身となって生まれるだろう。

ところが、これらの人びとは、たとえ地獄にいても、まるで庭園や高楼《こうろう》で遊んでいるような気持であり、その他の修羅《しゅら》・餓鬼・畜生などの悪道にいても、まるで自分の家にいるような気でいるのだ。駱駝《らくだ》・驢馬《ろば》・豬《いのしし》・狗《いぬ》などの仲間となっても、平気で一緒に暮らすだろう。

この教えを謗る罪は、こんな報いとなって現れるのだ。

もし人間に生まれても、聾・盲・瘖瘂《おし》・貧困《ひんこん》・衰弱《すいじゃく》という状態よりほかに、身を飾るものは何もなく、水腫《みずぶくれ》・乾痟《ふけ》・疥《ひぜん》・癩《かったい》・癰疽《はれもの》のような病《やまい》のほか、身につけるものは何一つあるまい。

からだはいつも臭く、垢まみれで汚く、そのうえ利己的な考えに凝り固まっていて、怒りっぽく、淫欲《いんよく》も盛んで、禽獣《きんじゅう》のように見境《みさかい》もあるまい。

これらもすべて、この教えを謗る罪によって得た報いである。

舎利弗よ。この教えを謗る者の罪を、数え立てれば限りはない。〔一三一－一三一下〕

このような理由があればこそ、言葉を強くして、無知の人に説くのは止めよ、と言ったのだ。

二一四—三—上 もし機根がすぐれ、明らかな智慧をもち、多くの教えを聞いて身につけ、しかも最高の仏の悟りを求める人があったなら、その人にこそ、これを説け。

もし過去世に多くの仏に遇い、善行を積んで人格を養い、現世においても信心深く、志の堅い人があったなら、その人にこそ、これを説け。

もしひたすら修行に精励し、他の幸せを思う心を育《はぐく》み、仏法と衆生のためならば、おのが命も惜しまぬ人があったなら、その人にこそ、これを説け。

もし、この教えを恭敬して、いささかも疑いを懐くことなく、愚かな人の群から離れ、山や野の静かな場所でひとり静かに思索する人があったなら、その人にこそ、これを説け。

また舎利弗よ。悪友からは遠ざかり、善い友と親しく交わる人があったなら、その人のために、これを説け。

二一四—一〇—中 仏の教えの戒律《かいりつ》を、あたかも宝玉のごとく尊び、守り、清らかに身を保ち、多くの人を幸せにする道を求める人があったなら、その人のために、これを説け。

怒ることなく、誠実で柔和《にゅうわ》な心を持ち、常にすべての生あるものを憐れみ、もろもろの仏を深く敬う人があったなら、その人のために、これを説け。

二二五—一—中 多くの大衆の中に処し、報酬《ほうしゅう》を求める心もなく、何のはばかるところもなく、噛み砕いて仏法を説き、さまざまな実例をあげ、適切な譬えを引き、分かりやすい理論をもって、自由自在に人を導く人があったなら、その人のために、これを説け。

仏の智慧を得るために、四方に教えを求め、善い教えに遇えば合掌し、うやうやしく押し頂いてこれを受ける、このような僧があったとしよう。ただし、その僧の望むのは、一切衆生を幸せにする教えであり、そのような高い教えをこそ受持し、途中の段階の教えはかえりみない。もしかかる僧があったなら、その人のために、これを説け。

二二五—五—下 仏を慕うまごころから、仏舎利《ぶっしゃり》を求めるのに似た気持で、高い純粋な教えを求め、その教えに遇ったなら、押し頂いて有難く受ける、そんな人があったとしよう。しかも、低い段階の教えを望まず、他の教えにもまどわされぬ人であったとしよう。そのような人にこそ、この経を説くがよい。
二一五―八―中
舎利弗よ。このように、真の仏道を求める人の種々相を語っていけば、いつまで語っても尽きることはない。とにかく舎利弗よ。今あげたような人びとならば、きっと信解することができよう。そのような人びとのために、この妙法蓮華の教えを説いてあげるがよい。

迷い出た子はどこへ帰る（信解品《しんげほん》第四）

その時、慧命須菩提《えみょうしゅぼだい》・摩訶迦旃延《まかかせんねん》・摩訶迦葉《まかかしょう》・摩訶目犍連《まかもっけんれん》の四人は、仏さまから初めてうかがった諸法実相《しょほうじっそう》という教えが、今こそはっきり理解できたことと、舎利弗《しゃりほっ》に成仏《じょうぶつ》の保証を与えられたことに対して、非常に大きな感動を覚えました。躍《おど》り上がりたいような喜びに身を震《ふる》わせつつ立ち上がると、衣服を整え、右の肩を肌脱《はだぬ》ぎし、右ひざを地につけてひざまずき、一心に合掌し、身を折り曲げて礼拝《らいはい》しました。そして、仏さまのお顔をじっと仰《あお》ぎ見ながら、次のように申し上げるのでした。

「わたくしどもは、僧伽《そうぎゃ》のうちでも先輩格のほうで、年もずいぶんとってしまっております。すでに、世の中の苦しみや煩《わずら》いから離れることもできましたし、もうこれ以上の努力には堪《た》えられそうもないという気持もあり、もっと進んで最上の悟《さと》りを求めようなどとはいたしませんでした。

世尊《せそん》はずっと以前から、久しくわれわれのために説法《せっぽう》してくださっていますが、実はわたくしたちは、聴聞《ちょうもん》の座にいながら、時には身体《からだ》がだるくなり、もうこれ以上聞く必要もないという気持を起こしたこともございました。

二六―八―下　そして、ただ、この世のものはすべて絶対的な実体はなく（空《くう》）、固定した相《すがた》はなく（無相《むそう》）、何かに作られたものでもない（無作《むさ》）のである、というような思索ばかりに心がとらわれておりました。

二六―九―上　仏さまが今お説きくださいましたような、〈すべての人が平等に仏性《ぶっしょう》を具《そな》えていることを悟った上で、さらに人びとの間にある違いを認め、相手によってそれぞれにふさわしい教えを自由自在に説き、世の中を美しくし、すべての人を人格完成の域にまで導く〉という菩薩《ぼさつ》の法を、喜んで求めることをいたしませんでした。本当に考えが至らずに、申しわけないことでございました。

二六―一〇―上　なぜそうなったかを反省してみますと、世尊がわたくしどもを教え導いてくださるのに、まず苦の三界《さんがい》を離れて、世の現象に煩わされない平安の境地を悟らせてくださいましたが、わたくしどもがそれで満足した気持になっておりましたことと、そのうちだんだん老いぼれてまいりましたことと、その両方のためだったと思われます。そして、仏さまが菩薩たちに仏の悟りを得るように教え導かれるのを拝見しても、いっこうに、その境地に達してみたいなどというあこがれや、願いを、起こさなかったのでございます。

二七—一—下
ところが、いま仏さまが、声聞《しょうもん》である舎利弗に、最高の悟りを得るであろうという保証を与えられましたのを目のあたりに拝見し、今までかつて経験したことのない喜びを覚えたのでございます。今日に至って、突然このような教えをうかがおうとは、まったく思いがけないことでございました。わたくしどもは、この大きな素晴らしい利益《りやく》を得たことを深く喜び、その幸せを自ら祝っております。本当に、量り知れないほどの珍しい宝物が、求めもしないのにひとりでに自分のものになったわけでございます。

世尊。わたくしどもは、これから譬《たと》え話によって、わたくしどもの理解した内容を申し上げてみたいと存じます。

ある人があって、幼い時に父の家をさまよいいで、ゆくえも知らぬさすらいの身となりました。長い間、他国で貧乏《びんぼう》暮らしを続け、もはや五十年も経ってしまいました。年をとるにつれて、ますます貧しくなり、あちこちと駆け回っては衣食の糧《かて》を求めていました。そうして放浪していくうちに、足はひとりでに本国のほうへ向かっていったのです。

父親のほうは、子どもがいなくなってから、けんめいに八方を探し回ったのですが、どうしてもゆくえが分かりませんので、しかたなくある都にとどまっていました。家はたいへんに富み栄え、量り知れないほどの財宝がありました。金《きん》・銀《ぎん》・瑠《る》璃《り》・珊瑚《さんご》・琥珀《こはく》・頗黎珠《はりじゅ》といったような貴金属《ききんぞく》や宝玉類《ほうぎょくるい》が、たくさんの蔵《くら》に満ち溢《あふ》れていました。また、多くの使用人や、手伝い人や、役人たちを使い、象《ぞう》・馬《うま》・牛《うし》・羊《ひつじ》のような家畜や、乗り物なども無数にありました。広く、あらゆる他国とも貿易しており、商人や顧客《こきゃく》が絶えずたくさん出入りしていました。

すっかり貧窮《ひんきゅう》の身となったその子（窮子《ぐうじ》）は、あちこちの村里や、方々の国の都やらをめぐり歩いて、とうとう父のいる都城《とじょう》に入ってきました。

父は、かたときもその子のことを忘れたことがありません。離ればなれになってしまってから五十年余り、常にその子の身の上を思い続けてきたのですが、しかし、それを他人にうち明けたことは一度もありませんでした。ただ自分の胸の中で案じ、悩んでいたのです。

だんだん年をとってからは、いつも、次のような思いが心中を去来《きょらい》していました。『わたしはすっかり年老いてしまった。しかも、多くの財産を持っている。金銀その他の素晴らしい宝物が、蔵に入りきれないほどある。それなのに、子どもが一人もいない。もしわたしが死んだなら、この財産を任せて相続させるものもなく、虚《むな》しくちりぢりになってしまうだろう』

こう考えると、ますますその子のことが思い出されてなりません。そして、『もしあの子どもがいて、この財産を任せられれば、どんなにか気が楽になり、心配も悩みもなくなってしまうだろうに……』と、思われたのです。

世尊。一方その窮子は、転々とあちこちの人に雇われて働いていましたが、ある日、偶然《ぐうぜん》父の屋敷の前にやってまいりました。門の側にたたずんで、はるかに中の様子を見ますと、見るからに高貴なお方が、りっぱな椅子《いす》に腰をかけ、両足を美しい床几《しょうぎ》に乗せ、悠然としておられます。それを取り巻くようにして、(84)バラモンや、クシャトリヤや居士《こじ》(85)たちが、うやうやしく控えております。

その高貴なお方は、何千万という値段の真珠《しんじゅ》の首飾《くびかざ》りで身を飾り、左右には白い払子《ほっす》を持った役人や召使いがきちんと立って仕えております。上にはりっぱな織物《おりもの》の天幕《てんまく》が張られ、たくさんの美しい旗がさげられてあり、前の地面には香水がそそがれ、さまざまの美しい花が一面に撒《ま》かれています。

そのかたわらには、宝物がずらりとならべてあって、それを盛んに出し入れしたり、人に与えたりしている様子です。すべてが、言いようもなくりっぱで、豪勢《ごうせい》で、とりわけその高貴なお方の様子には、自然と頭が下がるような威厳《いげん》と尊《とうと》さがありました。

窮子はこの長者の威徳の大きさにびっくりすると同時に、そら恐ろしくなってきました。そして、こんな所へ来なければよかったと、後悔するのでした。かれはこう思ったのです。『あのお方は、きっと王さまか、王さまと同じような人に違いない。ここは、とても自分のような者が、雇ってもらい、暮らしを立てさせてもらえる家ではない。やはり、貧しい街に行ったほうがいい。働き場所もあり、衣食の方法もあるだろう。もしこんなところにぐずぐずしておれば、きっとつかまえられて、むりやりに働かされるに違いない』……そう考えつくと、急いで走っていってしまいました。

長者は、ふと、門の側にたたずむみすぼらしい男に目をやった時、すぐそれが自分の子であることに気がつきました。にわかに心がはずみ、言い知れぬ喜びを覚えました。長者は心の中に、『ああ、今こそ、わたしの財産を任せる者がやって来た。今まであの子のことを思い続けてきたのに、どうしても見つけることができなかった。ところが、突然むこうから帰ってきてくれたのだ。やっと、願いがかなった。こんなに年をとっても、あの子に対する愛情は、どうにもならないほどなのだ』とつぶやきました。

長者は、すぐ、傍《そば》にいた者に、『後を追いかけて、連れて来なさい』と命じました。使いは大急ぎで走っていって、窮子をつかまえました。窮子は驚きおびえて、『ご無態《むたい》です。わたしは何も悪いことはしていません。どうしてつかまえるのですか』と、喚き叫ぶのでした。

使いの者は、窮子があばれるので、ますます強くひっとらえ、むりやりに引きずって連れていくのです。窮子の頭には、『自分には何の罪もないのに、こうしてつかまえられるからには、きっと殺されるに違いない』という思いがよぎりました。と、恐ろしさのあまり気が遠くなり、地べたにぶっ倒れてしまいました。

長者は遠くからその様子を見て、使いの者を呼び、『もうあの男を使うのは止《や》めにしたから、むりに連れて来ることはない。冷たい水を顔にかけて、目をさまさせてあげなさい。正気《しょうき》に返っても、何も話すのではないぞ』と命じました。なぜそうしたかと言えば、長者は、その子の心が卑屈《ひくつ》になりきっており、とうてい自分のような高い地位のものには近寄り難い気持を持っていることを知ったからです。そして、子であることははっきり分かっていても、心に深く考えるところがあって、他人には、それがわが子だということをうち明けませんでした。

そこで、使いの者は、言われたとおりその子を正気に返らせ、『許してやるから、好きな所へ行け』と言いました。窮子は夢かと喜んで、地べたから起き上がると、コソコソと逃げ出し、貧しい街へ行って、そこで衣食の道を求めました。

それからしばらく経ってから、父の長者は、何とかしてその子を近くへ引きつけたいと思い、顔形もみすぼらしい二人の使いを、そのもとにやりました。長者は二人に、『あの男の所に行って、さりげなく、いい働き場所がある、賃金《ちんぎん》も倍もらえるが、どうだ、使ってもらわないかと言って、承知したら連れてきなさい。もし、どんな仕事をするのかとでも聞かれたら、便所やドブなどの掃除《そうじ》だ、おれたちも一緒に働くのだと言いなさい』と命じました。

そこで二人は、窮子を捜しに出かけました。ようやく捜しあてた二人は、主人に言いつけられたとおりを言いますと、案《あん》の定《じょう》、窮子は喜んでついて来ました。そして、まず賃金を受け取ってから、汚物《おぶつ》の掃除をはじめました。父の長者は、遠くからそのありさまを眺めながら、あれがわが子の姿か、と悲しくもあり、信じられないような気にもなるのでした。

それからしばらく経って、父が窓から子の様子をのぞいてみると、すっかり痩《や》せ衰《おとろ》え、からだじゅう汚《きたな》いものにまみれて、働いているのです。それを見た父は、ふびんさに堪えかねて、身につけていた首飾りも、柔《やわら》かな上等の服も、その他の装飾《そうしょく》品《ひん》もみんな脱ぎ捨て、ボロボロの垢《あか》じみた着物を着、からだもわざと泥やほこりで汚し、右手に糞を取る器を持ち、みんなの所へやってきました。そして、一緒に働いている人たちに、『しっかり働きなさい。怠《なま》けるんじゃないよ』などと話しかけたりして、だんだんと窮子の警戒心を解きながら、近寄っていったのです。

こうして一緒に働きながら、しばらく経った後、長者は窮子に向かって言いました。『お前はかわいそうな男だな。食うに困っているというじゃないか。これからは大丈夫だよ。ずっとここで働けばいい。ほかへ行っちゃいけないよ。賃金も上げてやろうし、いろんな所帯《しょたい》道具や、米や、麵や、塩や、酢や、そのほか必要なものは何でもあげるから、遠慮《えんりょ》なんぞすることはない。また、年とった使用人もいるから、お前の手助けにつけてやってもいい。だから、安心してここにいるんだよ。……わたしを父親だと思うがいい。わたしは老人でちょうどその年かっこうだし、お前は若くて、わたしの息子の年ごろだ。これからも仕事をする時、怠けたり、人を欺《だま》したり、怒《おこ》ったり、恨《うら》んだり、憎まれ口をきいたりしてはいけないよ。ほかの人たちと違って、お前にはそんな悪いところは見られないし、万一そんなことをしたら、わたしは本当に悲しくなるよ。いいか、これから先、お前をわが子のように思うからね』……こう言って、その場で名前をつけてやり、仮の子にしたのであります。

一二二―一―下
窮子は思いがけないその待遇《たいぐう》に、たいへん喜びましたが、それでもまだ、自分は居候《いそうろう》の身で、いやしい人間だと思い込んでおり、卑屈な根性は抜けきれません。そこで長者は、それから二十年という長い間、やっぱり汚い所の掃除を続けさせました。

二十年が過ぎると、何といっても、その家に対する心安さができてきて、出入りするのにもオドオドしなくなりました。しかし、住んでいる場所は、やはり最初に与えられた小屋でありました。

世尊。それからしばらく経って、長者は病気にかかりました。長者は命が長くないことを悟りましたので、窮子を呼んで、『わたしは莫大《ばくだい》な財産を持っている。金・銀その他の宝物が、蔵にいっぱいある。それを、全部お前に任せよう。お前は蔵を調べて、その量を知り、だれからどれだけのものを受け取り、だれに何をどれだけやればよいかということなど、一切知り尽くしてもらいたい。これがわたしの本心だ。この本心をよく悟っておくれ。なぜこんな処置をとるかと言えば、もうわたしとお前とは他人ではないからだよ。しっかりこの宝を守って、むだに使わないようにしておくれ』と、申しわたしました。

窮子は、言いつけどおりに、蔵の中の金・銀その他のりっぱな宝物をすっかり調べ、それを支配することになりました。しかし、ほんの一ぺんの食事代ですら、自分の物にしようとはしませんでした。そして、やっぱり以前どおりの小屋住まいを続けていました。自分がいやしい人間だという劣等感は、まだすっかりは抜けきっていないのでした。

それからまたしばらく経つうちに、子の心がずっと広々と、そしてゆったりとなり、この大きな邸宅《ていたく》と無限の財産を取りしきってやれるという気持がはっきりできたことが、父の目にも見えるようになってきました。そして、今までオドオドしていた心を恥ずかしく思うようになったことも、よく分かります。そこで父は、いよいよ病気が重くなり、臨終《りんじゅう》も近いという時、子に命じて、親族や、国王や、大臣や、武士たちや、実業家など、かねて交際している人びとにみんな集まってもらいました。そして、その人たちに向かって、

『皆さん、実は、これはわたしの子なのです。実子《じつし》なのです。わたしが元ある城にいました時、わたしの手もとからさまよい出て、おちぶれ、苦労を重ね、五十年のあいだ放浪しておりました。この子の元の名はこれこれで、わたしの元の名はこれこれでした。この子がいなくなった時、元の城にいたわたしはずいぶん心配し、探し歩いたのですが、むだに終わりました。ところが、ここで偶然会うことができたのです。これは、本当にわたしの子です。わたしは、この子の実父です。ですから、わたしの一切の財産はみんなこの子の物です。前々から、わたしの財産の支出・収入など、この子はよく承知していたのです』と告げました。

世尊。窮子は父のその言葉を聞いて、言いようのない驚喜を覚えました。今までかつて経験したことのない喜びでした。そして、心の中にこう思いました。『自分は、こんなになりたいなどとは、少しも考えていなかった。それなのに、この素晴らしい宝物が、ひとりでに自分の物になったのだ。本当に不思議な、有難いことだ』と。

世尊。（二三―九―下）世尊の教えによって、わたくしどもが領解《りょうげ》し、感得しましたところは、ちょうどこの譬えのとおりでございます。

世尊。この大長者は、すなわち世尊でございます。わたくしどもは、世尊の子どものようなものでございます。実際に世尊は、この長者のように、いつもわたくしどもを子であるとおっしゃってくださいます。

世尊。（二三―一一―上）わたくしどもは、本能的《ほんのうてき》な感覚の苦しみ・楽しみが崩《くず》れ去るゆえに起こる苦しみ・ものごとの変化によって生ずる苦しみという、三つの苦しみのために、流《る》転《てん》きわまりない人生において、さまざまな激しい悩みを経験し、それから逃れようとしても、真理《しんり》を知らないためにどうしてよいか分からず、つまらない教えにとらわれる結果になっておりました。

ところが世尊は、わたくしどもに真理をしっかり考えることをお教えくださり、つまらぬ論議の塵《ちり》あくたを払いのけさせてくださいました。わたくしどもは、世尊の教えを、昨日よりは今日《きょう》、今日《きょう》よりは明日と努力を加えながら、一心に修行《しゅぎょう》し、心の平安というその日その日の報《むく》いをいただいておりました。

二二四―二―上 わたくしどもは、心の平安を得ることができまして、たいへんうれしく思い、それで満足しておりました。すなわち、仏法《ぶっぽう》を一心に学び、修行したために、実に多くの利益を得ることができたと考えていたのでございます。世尊も、それまでのわたくしどもが、つまらない欲望にとらわれ、低い教えに取りつこうとしていたのを知っていらっしゃいましたので、わたくしどもがただ心の平安を得ただけで満足しているのを、いちおうそのまま見逃され、お前たちも如来《にょらい》と同じような最高・無限の智慧《ちえ》が得られるのだよ――ということは、わざとおっしゃってくださらなかったのです。

二二四―六―上 世尊は、方便力《ほうべんりき》をもって如来の智慧をお説きくださったことも、たびたびあるのでございますが、わたくしどもは、世尊の教えによって、心の平安という、いわばその日その日の日給をいただいたことを、大きな功徳《くどく》として満足し、もっともっと広大な教えを得ようという志を起こさなかったのでございます。

二二四―八―上
また、わたくしどもは、如来のお智慧を拝借し、教えを受け売りして、悟りを求める多くの人たちに、仏の智慧に目を開かせ、仏の智慧の実際のはたらきを示す説法をいたしましたけれども、しかし、自分たちが仏の智慧を得ようという願いを起こしたことはございませんでした。なぜかと言えば、世尊はわたくしどもがつまらない教えに取りつこうとしていたのをごらんになって、方便力をもって、まずわたくしどもに相応した教えをお説きくださっているのだ……ということが分からず、自分たちもいつかは仏の境地に達しえられる身であることを、知らなかったからでございます。

二二四―一一―中
今わたくしどもは、世尊が仏の智慧をわれわれに分け与えられるのを少しも惜《お》しみはなさらないことを、まさしく知ることができました。なぜならば、わたくしどもも、最初から仏の子でありながら、それを知らず、ひたすら小乗《しょうじょう》の教えによって解脱《げだつ》を得ることばかり願っていましたので、世尊はそれに相応した教えをお説きくださっただけのことで、もし、もっと高い大きな悟りを得たいという願いを持っていましたならば、必ずわたくしどもにも大乗《だいじょう》の教えをお説きくださったに違いないことが、分かったからでございます。

二二五—二—上 今このご説法において、世尊は、教えはただ一つしかないとおおせになりました。そのお言葉によってようやく分かったのでございますが、むかし菩薩たちの前で、声聞が小乗の教えで満足しているのはつまらぬ、とおおせになりましたけれども、実は世尊は常に大乗の教えを説いていてくださったのです。わたくしどもの力が足りなかったために、その教えを小さくしか受け取ることができなかったのでございます。

二二五—四—上 ところが、今こそ、それを完全に受け取ることができました。そこで、こういうことが言えると思います。わたくしどもは別に望みもしなかったのに、仏さまの大きな宝が、今ひとりでにわれわれのものになってしまったのです。仏の子として得ることのできるものは、今、すべて得つくしたのでございます」

摩訶迦葉は、いま申し上げた内容をさらに偈《げ》に詠《よ》んで、次のように唱えました。

われわれはきょう、世尊の深いみ教えを得、躍り上がるほどの喜びだ。こんな感激は、かつて味わったことがない。み仏は、声聞も仏になれるとおおせられた。無上の宝の蔵が、願いもしなかったのに自分のものになったのだ。われらが今日に至るまでを、話に譬えれば、こうともなろうか。

一人の童児《どうじ》があった。まだいとけなくて分別なく、父の家からふらふらと、遠い他国へさまよい出た。国々を流浪《るろう》すること五十年、父親は心配して、四方八方をたずね探したが、ついにゆくえ知れず、探しあぐねた父親は、ある町にとどまった。

そこに邸宅を建てて住み、何不自由なく暮らしていた。家は大いに富み栄え、金・銀・硨磲《しゃこ》・碼碯《めのう》・真珠・瑠璃など、宝は倉に満ち溢れ、象・馬・牛・羊の家畜も見わたす限り。車や駕籠《かご》の乗り物も、作男《さくおとこ》やら小作人、その他の従者も数知れず。他国とも盛んに貿易し、取り引き先は至る所にあった。

こうして多くの人に取り巻かれ、尊敬されつつ生活し、国王からも愛され、国王の臣下一同も、支配下の豪族《ごうぞく》たちも、この長者を敬い、重んじ、それらの縁《えん》のつながりで、交際の広い家であった。

このように巨万の富を持ち、大いなる有力者であったが、年は争えず、次第に老い衰えてきた。すると、ますます痛切に子のことが思い出され、心配でならなくなった。朝から晩まで、思い続けた。

──わたしの死期も近づいた。あの愚《おろ》かな子がわたしを捨てて行ってから、五十年余りにもなるというのに、いまだにゆくえが分からない。わたしが死んでしまったら、いくつもの蔵にいっぱいの、あの財宝はどうなることやら──一方、窮子は、衣食の糧を求めて町から町へ、国から国へと、さすらい歩いた。ある時は仕事にあぶれ、食うや食わずのこともあった。飢《う》えのために痩せ衰え、皮膚はできものだらけで、まことにみすぼらしい姿であった。日雇いかせぎで流れ流れてやって来た町が、たまたま父の住む都城であった。転々としながら、ふと父の家の前を通りかかったのだ。

その時長者は、美しい大天幕の下の、りっぱな椅子に腰をかけ、周りには多くの家来たち、すぐ側には護衛《ごえい》の者がついていた。ある者は金・銀・宝物の類を数え、ある者は財物の出し入れをし、ある者は帳簿をつけ、ある者は何かの券を発行していた。

窮子は、長者のあたりを払う威厳と豪貴《ごうき》さに、あのお方は国王か、国王に等しいほどの身分の人か、とうちおののいた。どうして自分はこんな所へやって来たのだろう……と、そら恐ろしくなってきた。

もしここに長居《ながい》をしておれば、捕らえられて強制労働をさせられるかもしれない……そう思いついた窮子は、急いで走り去っていった。貧しい街にでも行って、働き口を探そうと。

長者はこの時、はるかに窮子の姿を望見《ぼうけん》し、わが子であることを直感した。ただちに長者は、あの男を連れて来いと、家来に命じた。

家来が走り寄って、窮子を連れていこうとすると、窮子は驚き叫び、地べたに倒れてもがいた。窮子は瞬間《しゅんかん》に思った。この人はわたしを無理に捕らえた。わたしは殺される。この人は、仕事をさせ、飯《めし》も食わせ、着物もやると言ったが、嘘《うそ》に違いない。殺すつもりなのだ……恐怖のあまり、窮子は失神してしまった。

長者はこのありさまを見て、嘆いた。ああ、あれがわが子か。実に愚かで、心狭《せま》く、劣等感にとらわれているため、わたしの言葉を信ぜず、ましてや実の父であることなど知るよしもない。

そこで長者は、方便を用い、日をあらためて別の使いをさし向けることにした。一人は目が不自由で、一人はたいへん背が低く、みすぼらしい男たちだった。長者は二人に向かって命じた。

「あの男に、こう言いなさい。この屋敷で雇い入れて、汚物の掃除をさせてあげよう。仕事は汚いが、賃金は普通の倍あげよう……」と。

窮子は喜んでついて来た。そして、汚物をとったり、小屋の掃除をしたり、かいがいしく働いた。長者は、窓の中からその姿をかいま見ては、わが子ながら、何と愚かにも、つまらぬ仕事を喜んでしているのだろうと、嘆息《たんそく》した。

そこで長者は、自らも垢じみたボロボロの着物をまとい、汚物を取る器を手に持って、子の所へ行った。さまざまに心づかいして、子の警戒心《けいかいしん》を解き、かたわらに寄って話しかけ、もっともっとよく働くんだと励ました。

「お前の賃金を増《ま》してあげよう。足に塗る油もあげよう。食べる物も、飲む物も、十分にあげよう。夜寝る時のコモやムシロも、もっとたくさんあげて、厚く、暖かくしてあげよう」

そして長者は、あるいは厳しく「何事も一生懸命やらなければいけないよ」と言い、あるいはやさしく「お前を子と同様に考えているんだよ」とも言った。

この長者は遠謀深慮《えんぼうしんりよ》をもって、窮子をだんだんと自由に母屋《おもや》へ出入りするように仕向けた。およそ二十年もすると、屋敷の一切を管理させ、金・銀・真珠・頗黎《はり》その他の財物の出し入れも、全部任せた。

しかし、窮子は、あい変わらず門の外の粗末な小屋に寝起きして、自分は貧乏人だとばかり思い込んでいた。自分にもそのような宝があろうとは、夢にも思っていなかった。

それからよほど経ってから、ようやく子の心が大きく広くなってきたのを見た父は、いよいよ全財産を与えようと決心し、親族・国王・大臣・武士・実業家など、日ごろ交際深い人びとに集まってもらい、このように告げた。

「これは、実はわたしの子です。五十年もの間、わたしから離れていた子です。ようやく再会して家へ入れてから、すでに二十年経ちました。今こそ申しますが、ずっと以前わたしがほかのある町にいた時、この子がゆくえ知れずになってしまいました。わたしは方々を探し歩いた末、この町へやって来たものなのです。そういうわけですから、わたしの所有するすべての物、この家も、家来たちも、すべてこの子に与え、自由に使わせたいと思います」

その子は、昔の極貧の境遇と、それに甘んじていた志の低さに引きくらべ、父の莫大な財宝を得た身の広やかな思いは、生まれて初めて味わう喜びであった。

二二九—三—上 み仏とわれらとは、この長者と窮子のようなものであった。み仏は、われらが小さな悟りを望んでいるのを見通しておられ、ゆえにこそ、「お前たちも仏になれるのだ」という究極の教えを説くのは、さし控えておられた。われらは、おのれのさまざまな迷いを除き、心の平安を得るために、み教えを聞く弟子であるとのみ思い、み仏もさようにおおせになっておられた。

二二九—五—下 み仏はわれらに、「最上の悟りを学び、修行するものは、いつかは必ず仏となりうるのだ」と説くように命じられた。

われらは命を奉じて、最上の悟りを求める人びとのために、あるいは実例をあげ、あるいは譬えを引き、あるいは理論的に説き、無上の悟りへの道を講釈《こうしゃく》した。

多くの仏弟子らが、われわれの説法を聞き、日夜深く教えを思索し、一心に努力してそれを身につけ、飽《あ》くことなく修行した。み仏はそれら仏弟子たちに、「将来必ず仏となるであろう」という保証を授けられた。

二二九—一〇—中 ところが、われわれ自身はどうだったのか。一切のみ仏が秘要《ひよう》とされる最高の教えを、求める人びとのためにただ取り次いだに過ぎず、自分自身ではその教えの大事な根本精神を悟ろうとはしなかったのだ。それはちょうど、あの窮子が父親に近づくことができ、財産のすべてを知るようになっても、それが自分のものであるとは露《つゆ》思わなかったのと、まったく同様だったのだ。仏法の最も尊い教えを説きながら、それを自分のものにしようという志は起こさなかったのだ。

二三〇—一—下 われわれは、心の中の煩悩《ぼんのう》を滅しえたと自覚したら、それで満足し、さらにそれ以上のものを望もうとはしなかった。み仏はこの世をくまなく清め、あらゆる衆生《しゅじょう》を教化《きょうけ》し給うのだと聞いても、自らもそのような大事業に取り組んでみようという、積極的な精神を起こそうともしなかった。

二三〇—四—上 どうして、そんな低迷を続けていたのか。今かえりみてみると、こうだったのだ。われわれは常に、〈すべてのものごとは、現象としてはさまざまな現れがあるが、その本質においては、すべて平等であり、大調和しているのであり、生ずることも滅することもなく、大きいとか、小さいとかの区別もなく、煩悩もなく因縁《いんねん》を超越したものである〉と、このようなことを思索し、その思索のみを楽しんでいた。

二三〇―五―下 それゆえ、積極的に何かをやろうという意欲に欠け、行動の喜びをも知らなかった。無上の仏の智慧に対する欲求もなければ、執心《しゅうしん》もなく、長い年月を過ごしてきた。しかも、自分は究極の悟りを得ているかのように思っていた。

二三〇―七―上 われわれは、長い年月〈空《くう》〉の教えを学び、修行して、三界の苦悩にわずらわされることがなくなり、人間としての最終的な境地に達し、すべての煩悩を離れきった清らかな人生を送っているのだ、と思っていた。

み仏に教え導かれたことがらは、すべてその道を成就し、ご恩に報いることができたものと、思っていた。

二三〇―九―下 しかも、悟りを求める多くの人に、菩薩の教え六波羅蜜《ろくはらみつ》を説き、仏の智慧を求めるように指導したが、われわれ自身は、その教えを成就しようとの願いを、起こそうともしなかった。

二三〇―一一―中 世尊がわれらを、その状態のままに置かれたのは、われらが心を知悉《ちしつ》しておられたからだ。初めのうちは、煩悩を除いて心の安らかさを得るよう勧められるのみで、仏道には人を救い世を救う実際の利益のあることを、明らかに説かれなかった。
あたかもそれは、巨万の富を持つ長者が、子の望みの低劣なのを知り、方便力を用いてその心を次第次第に変えてからでなければ、一切の財産を与えなかったのと、同様だと言ってよい。
二三一—二—中 み仏も、この長者のように、有難いことをしてくださったのだ。われわれが小さい理想しか持っていないのをごらんになり、方便力をもってまず煩悩を取り除き、心を正しく調《ととの》えるよう導かれた上で、いよいよ今こそ最高の仏の智慧を教えられた。
二三一—四—中 われらは今、かつて経験したこともない、素晴らしい歓喜に満ちている。望んでもいなかったことが、おのずから実現したからだ。あたかも窮子が、思いもしなかった無限の富を、自分のものにしたのと同様だ。
二三一—五—下 世尊に申し上げまする。
今わたくしどもは、本当の仏道を知りました。修行の本当の結果を得ることができました。諸法実相の教えによって、真の意味の、清らかなものの見方を悟ったのでございます。

わたくしどもは、仏さまのおん戒《いまし》めを守り、長いあいだ修行したかいあって、今日この大きな果報を得たのでございます。仏からの教えに従って、清らかな行いを続けてまいりましたために、今こそ、本当に迷いのない、この上もない境地を得ることができたのでございます。

わたくしどもは、今こそ真の声聞です。仏となる道を、われわれの声によって一切の人びとに聞かせてあげましょう。

わたくしどもは、今こそ真の阿羅漢《あらかん》です。天上界《てんじょうかい》のものからも、人間界《にんげんかい》のものからも、鬼神《きじん》たちからも、神々からも、あらゆる世間の住民から、尊敬と感謝を受ける価値ある身となりました。

世尊には大恩がございます。わたくしどもを憐《あわ》れとお考えになればこそ、めったに聞かれぬ一仏乗《いちぶつじょう》の教えによって導かれ、この上もない利益を与えてくださいました。そのご恩に対しては、何万年かかっても、とうていお報いできるものではございません。

たとえ全生命をなげうってお仕えし、頭を地につけて礼拝し、一切の物をささげて供養申し上げても、ご恩にお報いし尽くすことはできません。

一三二―一―下
世尊を、頭の上や肩にお乗せして、地上を歩くご苦労をおかけすることなく、無限の年月《としつき》心を尽くして敬い、美食の膳・最上の衣・快い寝具・種々の湯薬《とうやく》をもってご供養し、あるいは香り高い牛頭栴檀《ごずせんだん》の良材とさまざまな宝玉をもって塔を建て、りっぱな衣を地に敷いてその上を歩いていただくというように、ありとあらゆる方法で何万年のあいだ供養申し上げても、しかもお報いし尽くすことはできません。

一三二―六―下
もろもろのみ仏は、この世に類のない尊いお方で、量り知れない大神通力《だいじんづうりき》を具えておられます。あらゆる迷いを離れ、最高の法を悟り、すべての教えを意のままにできるお方です。

それゆえ、機根《きこん》の低い者に対しては、最高の真理をしばらく伏せ、低い段階の教えから説いてくださいます。現象にとらわれている凡夫《ぼんぷ》にも、それにふさわしい教えをお説きくださるのです。

一三二―一〇―中
もろもろのみ仏は、あらゆる教えを自由自在に、お説きになります。多くの衆生の持つさまざまな欲望と、意志の力を知悉せられ、その堪えうる程度に従って、種々の譬えを用いて、分かりやすく教えを説いてくださるのです。世尊もまた、われわれ衆生が過去世にどれだけの善根《ぜんこん》を積んだか、したがって現世《げんぜ》において教えを聞く機根がどれだけ熟《じゅく》しているかを、秤《はかり》にかけたように正確に見通され、その判断の上に立って、ただ一つしかない仏の道を、適宜《てきぎ》に三つに分けてお説きくださるのです。そのことが今こそはっきり分かりました。まことに有難いことでございます。

庭野日敬
にわの　にっきょう

明治三九年、新潟県に生まれる。

立正佼成会開祖。

宗教協力を提唱し、新日本宗教団体連合会理事長、世界宗教者平和会議国際委員会会長などをつとめる。

平成一一年、入寂。

著書
『法華経の新しい解釈』
『新釈法華三部経』（全10巻）
『仏教のいのち法華経』
『庭野日敬法話選集』（全8巻）
『この道』
『瀉瓶無遺』
『人生、心がけ』
『人生、そのとき』
『人生の杖』
『もう一人の自分』
『見えないまつげ』ほか多数。

現代語の法華経　ワイド版1

昭和四九年　三月一五日　初　版第　一　刷発行
平成　二　年一一月一五日　改訂版第　一　刷発行
平成二九年　五　月一〇日　改訂版第一二刷発行
令和　二　年　三　月　五　日　新装版第　一　刷発行
令和　四　年　一　月一五日　新装版第　二　刷発行

著　者　庭野日敬
発行者　中沢純一
発行所　株式会社佼成出版社
〒一六六―八五三五
東京都杉並区和田二―七―一
電話　〇三（五三八五）二三一七（編集）
　　　〇三（五三八五）二三二三（販売）
URL https://kosei-shuppan.co.jp/
印刷所　小宮山印刷株式会社
製本所　株式会社若林製本工場

ISBN978-4-333-00704-2 C0015